La vuelta al mundo en ochenta días

Biblioteca temática

Jules Verne

La vuelta al mundo en ochenta días

Prólogo y traducción
de Miguel Salabert

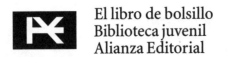

El libro de bolsillo
Biblioteca juvenil
Alianza Editorial

Título original: *Le tour du monde en quatre-vingts jours*

Primera edición en «El libro de bolsillo»: 1977
Décima reimpresión en «El libro de bolsillo»: 1997
Primera edición en «Biblioteca temática»: 1999
Segunda reimpresión: 2002

Diseño de cubierta: Ángel Uriarte
Proyecto de colección: Odile Atthalin y Rafael Celda

© Del prólogo y la traducción: Miguel Salabert
© Alianza Editorial, S. A., Madrid, 1977, 1980, 1982, 1984, 1986, 1988, 1990, 1993, 1995, 1996, 1997, 1999, 2001, 2002
   Calle Juan Ignacio Luca de Tena, 15; 28027 Madrid
   Teléfono 91 393 88 88
   www.alianzaeditorial.es
   ISBN: 84-206-3682-7
   Depósito legal: M. 27.859-2002
   Impreso en Fernández Ciudad, S. L.
   Printed in Spain

Prólogo

Los *Viajes Extraordinarios* han surcado en todas direcciones el globo terráqueo, sembrándolo de una intrincada red de líneas e itinerarios. Líneas imaginarias, horizontales y verticales, terrestres y subterráneas, espaciales y submarinas, ecuatoriales y polares, boreales y australes, que han dejado en atlas y planisferios, en portulanos y en esferas armilares, la huella viva, en sobreimpresión, de un mapamundi animado, el indeleble tatuaje de la imaginación verniana.

Entre las 64 novelas que componen la serie de los *Viajes Extraordinarios,* tan sólo dos de ellas trazan la línea completa de circunvalación del globo terráqueo. Por dispares y disímiles que sean *Los hijos del capitán Grant* y *La vuelta al mundo en ochenta días,* ambas obras se relacionan entre sí por los nexos de la simetría y la complementariedad que informan toda la cosmografía verniana. Al viaje lineal por el paralelo 37 del hemisferio austral que siguen los pasajeros del *Duncan* corresponde el descrito por Phileas Fogg en el hemisferio boreal a partir del paralelo 50, del que sólo se desvía por los imperativos del tiempo. Pues si en *Los hijos del capitán Grant* la coordenada fundamental es el *espacio,* trazado en la horizontal del paralelo 37, en *La vuelta al mundo en ochenta días* es el *tiempo,* expresado en la vertical de los meridianos.

Impelido por la prisa, la misma que agita a Lidenbrock, a Hatteras y a tantos otros héroes vernianos, Phileas Fogg, «el hombre menos apresurado del mundo», corre como aquéllos tras su idea fija, en un derrotero tan imperturbable como el de los Grant, en un movimiento que marca la progresiva apropiación por el hombre del espacio y del tiempo a través de la línea más corta entre ambos: la velocidad.

Pues por trivial que sea aquí el móvil del viaje –una simple apuesta–, *La vuelta al mundo en ochenta días* no se sustrae al tema básico y general de los *Viajes Extraordinarios:* la conquista y el dominio de la naturaleza por la industria, de la que el tren y el barco de vapor son aquí los principales exponentes. Tema fundamentalmente sansimoniano, en el que halla su origen ideológico la obra de Verne[1] y que de una a otra novela se expresa a través de tres mediaciones: el viaje, la sabiduría científico-técnica y la colonización.

Tres formas convergentes de apropiación del mundo, que sirven también de soportes a los fines didácticos impuestos a la obra de Verne por su editor, Jules Hetzel, quien la predeterminó y limitó gravemente –hay que decirlo, por ocioso y gratuito que sea lamentarlo– al asignarle un público juvenil en función de sus objetivos comerciales.

De esas tres mediaciones es la del viaje la privilegiada en esta obra. Pero no se trata aquí de un viaje de exploración, sino de un viaje de medición de la Tierra, en el que el metro utilizado es el tiempo y el instrumento un reloj viviente: Phileas Fogg. Pues más allá de la anécdota argumental, de la apuesta

---

1. En 1880, Verne y Hetzel acordaron el proyecto de escribir y editar, respectivamente, una obra en cuatro volúmenes bajo el muy sansimoniano título de «La conquista científica e industrial del globo». Este proyecto, que no llegó a realizarse, debía constituir una continuación de su *Historia de los grandes viajes y de los grandes viajeros,* obra en seis volúmenes cuya publicación había concluido en ese mismo año. Sobre la influencia del sansimonismo en Verne, véase mi libro *El desconocido Julio Verne,* capítulo III (CVS Ediciones, Madrid, 1974), y *Una lectura política de Julio Verne,* de Jean Chesneaux, cap. 4 (Edit. Siglo XXI, Madrid).

trivial, el objetivo del viaje es la demostración de la abolición de la distancia («la distancia no existe», había declarado Michel Ardan en *De la Tierra a la Luna),* de la domesticación del espacio, de la rendición de la geografía a la medida del hombre. Manifestación de poder que se acompaña, como lo demuestra el desenlace de la aventura, de una victoria pírrica: en su lucha contra el tiempo, el héroe consigue ganar... un tiempo ilusorio, un tiempo imaginario.

En mis prefacios a *Viaje al centro de la Tierra* y a *Los quinientos millones de la Begún* [2] había señalado como una constante en la obra de Verne el hecho singular de que el progreso se acompañe siempre de una manifestación de regresión, de que todo movimiento hacia el futuro provoque, en una u otra forma, una eclosión o resurgencia del pasado. Esta regresión se revela en muchas novelas de Verne ya sea mediante la forma transparente de la enunciación de los antecedentes de la aventura –o en el saber acumulado, previo, que la condiciona y determina, así como en la ignorancia, que reviste la forma de un enigma cifrado–, ya sea en la trayectoria mítico-simbólica del héroe, que repite otras huellas, otros pasos, otros caminos, los de Ulises, Telémaco, Orfeo...

El carácter humorístico y la estructura y ritmo narrativos que a *La vuelta al mundo en ochenta días* impone su nudo argumental hacen que esta novela carezca de esa riqueza simbólica tan desbordante en otros *Viajes Extraordinarios.* En esta novela, las manifestaciones de regresión se presentan bajo la forma trivial y transparente de la sustitución del tren –máximo exponente en la época de modernidad y de progreso y privilegiado tema sansimoniano de la conquista y colonización de la naturaleza– por el elefante y el trineo. Pero también, y de modo mucho más sutil, bajo la forma de la circularidad del tiempo. Esta concepción verniana del tiempo, que denuncia la pervivencia en su pensamiento de una mentalidad arcaica, insospechable para quienes superficialmente ven únicamente en él un

2. Publicadas también en El libro de bolsillo.

profeta del futuro, llegará a cristalizar en la idea del eterno retorno *(El eterno Adán),* cuyo origen se halla en las más remotas creencias palingenésicas. Para Verne, el tiempo es tan circular como el espacio, como las esferas del reloj y de la Tierra.

Phileas Fogg no viaja, describe una circunferencia. Y desde el momento mismo de su partida la historia de su viaje es ya la historia de un retorno, de una circunferencia, la figura cíclica de un tiempo y de un espacio cerrados sobre sí mismos.

La vuelta al mundo en ochenta días halla su origen en el cuento de Edgar Allan Poe titulado «Tres domingos en una semana»[3]. El magnífico desenlace de la aventura de Phileas Fogg –quizá la mejor ilustración que pueda hallarse en toda la literatura de ese recurso que hoy se conoce bajo el nombre de «suspense»– está inspirado en ese relato de Poe.

De la enorme influencia del autor de las «Historias Extraordinarias» –título dado por Baudelaire a su versión francesa de los cuentos– sobre el de los *Viajes Extraordinarios* he dejado ya constancia en *El desconocido Julio Verne.* Un análisis riguroso de esta caudalosa influencia requeriría el espacio de un libro. Baste consignar aquí, esquemáticamente, la influencia transparente de «La incomparable aventura de un tal Hans Pfaall» en *Cinco semanas en globo,* de «El escarabajo de oro» en *Viaje al centro de la Tierra* y, sobre todo, en *La Jangada,* de «El diablo en el campanario» en *El doctor Ox,* de «Un descenso al maelstrom» en el desenlace de *Veinte mil leguas bajo el mar,* de «Narración de Arthur Gordon Pym» en *El Chancellor,* sin olvidar la continuación de esa misma obra con *La esfinge de los hielos.*

Pero esta influencia no es únicamente temática, ni se limita tan sólo a la creación de personajes ni a la sensibilidad ante la naturaleza, sino que se extiende también a la composición téc-

---

3. Contenido en el volumen 2 de los *Cuentos,* de Edgar Allan Poe, en edición prologada y anotada por Julio Cortázar y publicada en esta misma colección.

nica. En efecto, Verne aplica en muchas de sus obras el famoso imperativo categórico de Poe: «Todo, en un poema como en una novela, en un soneto como en un cuento, debe concurrir al desenlace. Un buen autor tiene ya su última línea a la vista cuando escribe la primera».

En *La vuelta al mundo en ochenta días* la aplicación de este principio por Verne es doblemente literal, por cuanto que es el magnífico desenlace, inspirado, como decíamos, en un relato de Poe, el que preside la concepción y el desarrollo de la aventura.

Los imperativos del «suspense» prohíben todo comentario, en esta introducción, sobre el desenlace. Señalemos únicamente que, al igual que en el relato de Poe, es una boda la que oficia de *Deus ex machina*. Antes de abandonar a Poe, señalemos la importancia temática del reloj en su obra, al igual que en la de Hoffmann, otro autor que ejerció una acusada influencia en Verne, sobre todo en *Maestro Zacarías* y en *El castillo de los Cárpatos*.

En su romántica, inventiva y escamoteadora biografía del novelista –teñida toda ella de un molesto tono hagiográfico–, Margueritte Allotte de la Füye dice que Verne halló la inspiración de *Le tour du monde en quatre-vingts jours* en un folleto turístico de la Agencia Cook, que demostraba que, «gracias a la velocidad de los nuevos medios de locomoción y a la concordancia de los horarios internacionales, un periplo completo alrededor de nuestro esferoide no es más que una excursión de vacaciones, un simple paseo de tres meses como máximo»[4].

En su biografía desbordante de lirismo, de admirativas mayúsculas y de imprecisión, Bernard Frank transforma el folleto turístico en un cartel de la Agencia Cook que representaba a «un viajero, con traje a cuadros, quien, con aire fle-

---

4. M. Allotte de la Füye: *Jules Verne, sa vie, son oeuvre*. Hachette, París, 1953 (pág. 134). Hay una edición anterior de Simon Kra, en 1928.

mático, llevaba una maleta adornada de etiquetas de todas las compañías de transporte y de los grandes hoteles del mundo»[5].

René Escaich[6] ha hallado la verdadera partida de nacimiento de *La vuelta al mundo en ochenta días* en un artículo publicado en 1870 en *Le Magasin Pittoresque*, que decía así:

Gracias a la horadación del istmo de Suez es posible ahora, partiendo de París, dar la vuelta al mundo en menos de tres meses. El servicio para este viaje circular no ha de tardar en ser organizado. He aquí el itinerario, cuya duración podría ser incluso más breve:

	Días
De París a Port-Said, cabecera del canal de Suez, por ferrocarril y barco de vapor	6
De Port-Said a Bombay, por barco de vapor	14
De Bombay a Calcuta, por tren	3
De Calcuta a Hong-Kong, por barco de vapor	12
De Hong-Kong a Yedo, por barco de vapor	6
De Yedo a las islas Sandwich, por barco de vapor	7
De San Francisco a Nueva York, por el ferrocarril del Pacífico, ya acabado	7
De Nueva York a París, por barco de vapor y por tren	11
Total	80

La comparación con el itinerario seguido por Phileas Fogg (capítulo III) muestra que las modificaciones son mínimas, las requeridas únicamente por el hecho de que sea Londres y no París el punto de partida.

5. Bernard Frank: *Jules Verne et ses voyages* (pág. 148). Flammarion, París, 1941.
6. René Escaich: *Voyage au monde de Jules Verne* (pág. 232). Plantin, París, 1955. Escaich ha hallado también la fuente de inspiración del Reform-Club en un artículo titulado «Los ingleses, en Inglaterra», publicado en el *Musée des Familles* en diciembre de 1850.

La interrupción del Great Peninsular Railway en la India es un artificio novelesco[7], ya que el tendido de ese ferrocarril había sido acabado el 7 de marzo de 1870, dos años antes del viaje de Phileas Fogg, que el autor data en noviembre de 1872. Más reciente era la inauguración del túnel del monte Cenis, entre Francia e Italia, que había tenido efecto en septiembre de 1871. Las del Union Pacific y canal de Suez databan respectivamente, como es sabido, de mayo y noviembre de 1869.

El recordatorio de estas fechas tiene por fin llamar la atención sobre la modernidad o, mejor, actualidad, en la época, del viaje de Phileas Fogg. Ello explica que algunos pasajes de la obra, como el de la minuciosa descripción del Union Pacific, se conviertan en verdaderos reportajes.

Esa modernidad constituye una de las claves del éxito inmenso e inmediato alcanzado por esta obra desde la publicación de sus primeros capítulos, en folletón, en *Le Temps* (1873). Phileas Fogg consiguió aumentar prodigiosamente la tirada del muy serio diario parisién. Allotte de la Füye dice que los corresponsales extranjeros debían cablegrafiar diariamente a sus periódicos las vicisitudes de los viajeros, como si se tratara de un reportaje auténtico, y que la apuesta del Reform-Club provocó una oleada de apuestas reales entre los lectores de *Le Temps*. Reacciones similares a las suscitadas unos años antes por la publicación, en folletón, de la novela *De la Tierra a la Luna*, trayecto directo en 97 horas y 20 minutos.

En un tiempo en el que es posible dar la vuelta al mundo en unas horas a velocidades supersónicas, en un tiempo en el que los viajes se han convertido en una mera forma de desplazamiento, en un tiempo en que la información ha acabado con el exotismo y en el que lo que de él subsiste se nos sirve en conserva y a domicilio, hay que hacer un casi imposible esfuerzo de imaginación para poder comprender el entusiamo suscita-

---

7. Curiosamente, este artificio anticipa un incidente de análoga naturaleza que le ocurrió realmente a Verne en un viaje por Argelia en 1884, y que transcribiría en *Clovis Dardentor*.

do por una empresa como ésta de dar la vuelta al mundo en el mínimo tiempo posible. Para reforzar la imaginación hay que asomarse a la geografía de la época:

Esta Tierra, en otro tiempo inconmensurable y que parece ir encogiéndose a medida que vamos tomando posesión de ella... La superficie misma en la que vivimos no nos es aún enteramente conocida. Los dos polos están aún protegidos del hombre por sus caparazones de hielo y de nieve... En Asia, en África, en Australia hay vastas regiones sobre las que no se ha posado aún el pie del hombre... Cuando se estudia detenidamente la superficie de la Tierra, asombra comprobar que la parte bien conocida es aún la menos extensa y que hay inmensas zonas de Asia, de América, de Australia y, sobre todo, de África de las que apenas podemos trazar un esbozo aproximado... Pero cada año, cada día incluso, va reduciéndose la extensión de lo desconocido; un verdadero ejército de exploradores surca las partes mal conocidas de la Tierra, afrontando el hambre, la sed, las enfermedades, el frío, el calor y la muerte para recoger un poco de saber nuevo... Antes de que acabe el siglo la casi totalidad de la Tierra deberá ser conocida. Nunca la geografía ha presentado un interés tan grande como en el momento en que vivimos.

Este texto, extraído de un atlas publicado por Hachette en 1886, permite comprender, a la vez que las razones de la génesis de los *Viajes Extraordinarios* (era una literatura en busca de autor, he dicho en otro lugar), la sensibilización del público, en la segunda mitad del siglo XIX, a la apasionante aventura del conocimiento de la Tierra.

Entre los franceses de hoy es tema proverbial de conversación y de humor el de su ignorancia de la geografía. La imaginación moderna ha tomado otras direcciones. Hoy sería impensable un éxito popular de una revista geográfica como el conocido en el siglo pasado por *Le Tour du Monde,* revista que, dirigida por el sansimoniano Édouard Charton, publicaba amplias y originales relaciones de viaje de los exploradores y actualizaciones geográficas y trabajos de antropología y de etnografía, con magníficos grabados de un gran equipo de dibujantes, entre los que figuraban Riou y De Neuville, dos de los habituales ilustradores de este volumen. Lástima, dicho sea entre paréntesis, no poder ofrecer también aquí las ilustraciones que de este libro hiciera Tolstoi, empedernido lector de Verne, que se exhiben en el museo que lleva su nombre en Moscú.

El extraordinario desarrollo que en esos años conocieron las compañías de ferrocarriles y de navegación, como consecuencia del auge del capitalismo industrial y financiero, contribuyó también poderosamente a excitar el interés del público por la geografía y los medios de comunicación.

Con *La vuelta al mundo en ochenta días,* Verne hizo tomar conciencia a sus contemporáneos de que el mundo era ya treinta o cuarenta veces más pequeño que a principio de siglo. Y puso de moda los viajes alrededor del mundo.

Pero las condiciones del éxito no coinciden necesariamente con las razones del mismo. Lo que antecede podría explicar, a lo sumo, el inmediatamente alcanzado por la publicación de la obra, pero no su supervivencia. Que esta obra, la más popular y la más conocida de los *Viajes Extraordinarios* [8] –aun cuando esté lejos de ser la mejor o, por decirlo de otro modo, se inscriba entre ellos como una obra mayor en tono menor– haya sobrevivido a las circunstancias que la determinaron se debe a otras razones. El lector las descubrirá sin dificultad, pues, a diferencia de otras muchas del autor, la lectura del texto es aquí prácticamente unidimensional, aunque no carezca de algunas

8. En su libro *Jules Verne, sa vie, son oeuvre* (Éditions Rencontre, Lausanne, 1971), Charles-Noël Martin da una relación de las tiradas hechas por Hetzel de las obras de Verne en las ediciones in-18, es decir, las no ilustradas, entre 1863 y 1904. *La vuelta al mundo* se sitúa en primer lugar con 108.000 ejemplares, seguida de *Cinco semanas en globo* (76.000), *Veinte mil leguas* (50.000), *Viaje al centro de la Tierra* (48.000), *La isla misteriosa* (44.000), etc. Ha de tenerse en cuenta que algunas de estas obras constaban de varios volúmenes, por lo que las tiradas expresadas se multiplicaron por el número correspondiente de volúmenes. Por otra parte, las tiradas de la época eran considerablemente inferiores a las actuales.

claves secretas, como veremos más adelante. Obvio sería destacar aquí entre esas razones, aparte de la maestría narrativa, la del humorismo en que se baña el relato de principio a fin, si no fuera porque esta característica nos obliga a indicar al lector un dato bastante desconocido sobre Verne: el de sus comienzos literarios como autor de teatro de bulevar (ocho obras estrenadas, solo o en colaboración, sin contar las adaptaciones teatrales de sus novelas, y veintidós no estrenadas y en su mayoría inéditas). El *esprit boulevardier* invade aquí la novela, como lo hace en *De la Tierra a la Luna* con el personaje de Michel Ardan.

Pero no es menos obvio que la verdadera razón de la juventud inmarchitable de esta obra estriba en sus personajes, y sobre todo en el de Phileas Fogg.

¿Quién ha podido olvidar a Phileas Fogg?

Phileas Foog... Un robot. Una máquina. «Tan exacto como un cronómetro.» «Era un cuerpo grave recorriendo una órbita en torno al globo terrestre, según las leyes de la mecánica racional.»

¿Cómo puede adquirir tal cuerpo, tanto relieve, dejar memoria tan imborrable un personaje que nos es descrito como una figura de cera, como un autómata, como un reloj? Justamente, por su opacidad (señalemos, al paso, que Fogg significa *niebla*, en inglés).

Obsérvese cómo la descripción que de él nos hace el autor es siempre exterior, cómo en ningún momento nos asoma a los mecanismos íntimos de su maquinaria interna y cómo su presentación nos es hecha en términos negativos: no era esto, no era lo otro...

Es esa opacidad la que le confiere un singular relieve. Lo dice claramente el autor: «... y parecía tanto más misterioso cuanto que era muy silencioso. Su vida era, sin embargo, transparente, pero lo que hacía era tan matemáticamente idéntico siempre que la imaginación, insatisfecha, buscaba más allá.» Por eso, y pese a manifestar en todas circunstancias una conducta práctica, Fogg nos desasosiega. Phileas Fogg es una figura grotesca a la vez que fantástica, inquietante como un personaje de Hoffmann, en quien tiene su más lejana filiación.

¿Quién es Phileas Fogg? Sería extremadamente superficial ver en él una mera caricatura del inglés típico y tópico. Veamos por ello cuál es la «filogénesis» de Phileas Fogg. Va a revelarse compleja, laberíntica; en una palabra, verniana.

Las variaciones que de una a otra novela se extienden como una tela de araña por los *Viajes Extraordinarios* no se limitan a los temas, sino que se extienden también a los personajes, ya sea como un desarrollo en uno, de rasgos esbozados en otro, ya como una antítesis.

Phileas Fogg es una variante llevada a la perfección de ciertos rasgos de Barbicane y de Nicholl, los dos rivales del viaje a la Luna, que son caracterizados también como dos cronómetros, y del coronel Everest *(Tres rusos y tres ingleses en África Austral),* cuya «existencia estaba matemáticamente determinada hora por hora», con «todos los actos de su vida ajustados al cronómetro» y cuya «exactitud en todo no era menor que la de los astros en su paso por el meridiano». Pero el antecedente más claro de Fogg es Pittonaccio, el diabólico personaje-gnomo de *Maestro Zacarías,* cuya cara es una esfera, que tiene un péndulo por corazón y una andadura *circular.* Como Pittonaccio, Fogg es un reloj rodeado de relojes por todas partes, con un cordón umbilical que le une a los relojes de su casa y del Reform-Club.

En *El desconocido Julio Verne* he mostrado las profundas afinidades y correspondencias psicológicas e intelectuales existentes entre Verne y Leonardo da Vinci. Esta «consanguinidad» espiritual es la que indujo a Verne a escribir, a sus veintitrés años de edad, es decir, en 1851, una comedia en verso y en un acto bajo el título de *Leonardo de Vinci,* que cambiaría más tarde por el de *Monna Lisa* [9].

---

9. Ha permanecido inédita hasta 1974, año en que la publicó *Les Cahiers de l'Herne,* en su número de homenaje a Verne.

La actitud de Phileas Fogg ante Aounda es la misma que la de Leonardo, en la comedia, ante el amor que por él siente la Gioconda. Verne dice de Leonardo «que no está hecho para amar como es debido... ¿Es un hombre de carne y hueso o es un hombre de hielo?... Pero, entre nosotros, es incapaz de amar... «¡Si yo tuviera tiempo, cómo la amaría!», dice Leonardo, al igual que Fogg, a la exclamación de Cromarty –«¡Pero si es usted un hombre de corazón!»–, dará la famosa respuesta: «A veces. Cuando tengo tiempo».

Las profundas afinidades psicológicas entre Leonardo y Verne parecen tener una misma causa: un soterrado conflicto con el padre que ambos protagonizaron por diferentes motivos. En otro lugar he descrito ampliamente la importancia del conflicto de Verne con su padre, hasta el punto de constituir una de las principales claves para descifrar su obra. A falta de una exteriorización del conflicto, como en el caso de Kafka con su célebre «Carta al Padre», es forzoso ver, con Marcel Moré, la expresión del problema a través de una hábil pero obsesiva y, como tal, permanente transposición literaria. Transposición disimulada y enterrada bajo los más diversos disfraces, trucos y astucias. Pues bien, en Phileas Fogg este conflicto halla una de sus muchas expresiones disimuladas. Fogg es una caricatura de la manía implacable de la exactitud que tenía Pierre Verne, quien a su rígido y absoluto catolicismo añadía la religión de la puntualidad. En el jardín de la casa familiar de Chantenay, en Nantes, un catalejo montado sobre un trípode estaba permanentemente enfocado sobre el reloj de la torre de un monasterio vecino. Y ese reloj regía la vida familiar, como la rigidez y severidad de Pierre Verne planeaba sobre la fantasía de su hijo. Quien hizo del rencor una segunda memoria, imborrable, a juzgar por su obra.

A la transposición caricaturesca se añade aquí una más profunda. La absoluta y castradora autoridad del padre, que, como en el caso de Kafka, pesó sobre Verne, aun cuando en éste las consecuencias fueron menos dramáticas, se manifiesta en la aplastante superioridad de Phileas Fogg –que se traduce en su imperturbabilidad, en su invulnerabilidad– sobre los que le rodean.

«Por encima de ellos, Phileas Fogg planeaba en su majestuosa indiferencia. Realizaba racionalmente su órbita alrededor del mundo, sin preocuparse de los asteroides que gravitaban en torno suyo.»

Esta superioridad se verá humillada, al final, con la salvación (?) de Fogg por sus «asteroides» y con la comprobación de que su calendario autárquico es tributario del de los demás. Fogg recibe la luz de sus asteroides, al igual que Pierre Verne la recibiría de la gloria literaria de su hijo, a cuya doble vocación, la marinería y la literatura, después, se había opuesto tenazmente.

Para Verne, el tema del hombre-reloj significó desde su infancia «el rigor de un padre que carecía totalmente de fantasía». Por ello, todos los hombres-reloj que circulan por los *Viajes Extraordinarios* tienen su contraposición simétrica en la amplia galería de personajes fantasiosos, espontáneos, llenos de vitalidad, entre los que Passepartout[10] y Michel Ardan se destacan con particular vigor.

Passepartout es, además, un ex artista circense, oficio que siempre fascinó a Verne como la representación más libre de la libertad (léase *César Cascabel, Mathias Sandorff,* con Cap Matifou y Pointe Pescade, etc.), pasión identificada en él con el

10. Todas las versiones al castellano que conozco traducen «Passepartout» por 'Picaporte'. Yo no soy partidario, en general, de traducir los nombres propios, y menos en el caso de Verne, en quien los nombres suelen tener una particular significación, frecuentemente simbólica. *Passe-partout,* además del significado de *débrouillard,* 'el que sabe salir con bien de toda dificultad', puede traducirse por 'llave maestra', la que abre y cierra todas las puertas de una casa, con el amplio cortejo de significaciones simbólicas que tiene el tema en Verne, aspecto en el que no podemos entrar aquí. Por su parte, Phileas sugiere el verbo francés *filer* 'correr' y la frase hecha *filer le voleur* 'perseguir al ladrón', lo que nos lleva a Fix, cuyo nombre significa 'fijación' y sugiere la idea fija, etc.

viaje como signos de ruptura y que le llevó a crear y dirigir el Circo de Amiens, que todavía existe.

Passepartout es, pues, como todos los héroes de Verne, un personaje funcional, entendiendo por tal el que representa y asume una función, lo que excluye toda profundización psicológica.

Pero volvamos a Phileas Fogg para completar su compleja filiación, que ahora va a tomar un sesgo inesperado, sorprendente, con una interpretación que no excluye las precedentes, sino que las integra en el laberinto.

Claire Eliane Engels ve en Phileas Fogg un hijo natural de lord Byron, llamado Philellas Fogg, que, según ella, dio la vuelta al mundo en 1872. Ésta es la escueta noticia, indirecta para mí, pues no he podido leer el artículo en que la expone y del que tengo únicamente la referencia (*Arts et Lettres,* 13 de agosto de 1958). Pero, aun sin conocer ese artículo, cabe admitir la plausibilidad de su afirmación, pues desde la primera página, Verne, con una malicia habitual en él, habla del parecido de Phileas Fogg con lord Byron. Sorprende, sin embargo, que Verne haya asumido el riesgo de mantener ese nombre sin más modificación que la supresión de la letra ll, cuando su costumbre era la de disimular un nombre real bajo un anagrama (caso Nadar-Ardan) o bajo un nombre alusivo. Tal vez no pudo decidirse a sacrificarlo por las significaciones que ya hemos visto en el nombre de su personaje.

Esta noticia arroja un poco más de luz sobre la atracción que Verne sentía por las cosas secretas y malditas y sobre su gusto por la mixtificación, que le llevó a sembrar profusamente sus obras de claves secretas, de «trucos y astucias», de símbolos turbadores e ideas tenebrosas bajo la apariencia inocente de un discurso destinado a educar a la juventud, como creo haber demostrado ya en otro lugar.

Ahora tenemos una prueba más de esta corriente subterránea que fluye a lo largo de los *Viajes Extraordinarios.* Con Aouda. Aouda justifica su nombre por su nacionalidad. En efecto, Aouda es el nombre de una región y de un antiguo reino de la India. Pero la identificación de Phileas Fogg con el hijo natural de Byron, Phileas Fogg, nos lleva inevitablemente a ver en Aouda una hábil y clara transposición –según un procedimiento muy verniano– del nombre de *Adda*, la hija de Byron. Con lo que las bodas de Phileas Fogg y Aouda hacen resurgir el drama del incesto vivido por el autor de *Childe Harold* con su hermana.

Otros rasgos que refuerzan la plausibilidad de esta identificación complementaria son los de la excentricidad y prodigalidad del *gentleman* del Reform-Club, que recuerdan las de lord Byron y sus padres.

El misterio que envuelve a Phileas Fogg podría hallar su explicación en esta filiación.

Este extraordinario viaje, hecho posible por la fortuna de Phileas Fogg –«*L'argent est un bon passe-partout*» es una frase hecha–, dio a Verne la posibilidad de viajar a bordo de los dos yates que en poco tiempo compró sucesivamente, gracias a la fortuna que le deparó la adaptación a la escena de *La vuelta al mundo en ochenta días*, hecha en colaboración con D'Ennery. Estrenada el 7 de noviembre de 1874, en el Teatro de la Porte-Saint-Martin, la pieza conoció un éxito sin precedentes, que se ha prolongado durante medio siglo en reposiciones anuales dadas en el Teatro Châtelet, en alternancia con *Miguel Strogoff*.

El éxito de la versión escénica se debió sobre todo a una escenografía revolucionaria. Por vez primera, los espectadores parisienses pudieron ver en escena una locomotora movida por una caldera de vapor, echando torrentes de humo, con el espectacular asalto de los sioux, así como también un naufragio provocado por una horrísona explosión que llenaba la escena de humo. «Jamás –decía un crítico al día siguiente– se había alcanzado en el teatro ese grado de precisión en el horror.»

Para Verne, a quien el éxito de su producción novelesca sólo interesaba «platónicamente» desde el punto de vista crematístico, por hallarse ligado a Jules Hetzel por una serie de contratos *a forfait* que hacían de él una especie de asalariado mensual, el éxito de la adaptación escénica de esta obra significó la fortuna. Y ello pese a que, en un rasgo de generosidad a lo Phileas Fogg, abandonó la mitad de sus derechos –que eran del 50 por 100, puesto que D'Ennery se llevaba el resto– a un tal Cadol, que había hecho una primera adaptación rechazada por todos los teatros. Aunque de la adaptación de Cadol no quedara nada en la que fue llevada a la escena, él y sus descendientes se enriquecieron con ese 25 por 100 concedido, por hastío y magnanimidad, por Verne. A Hetzel, que, escandalizado, le reprochó tanta generosidad, respondió Verne: «¡Bah! Esa cuarta parte de la que se burla usted es todavía muy interesante».

Jules Hetzel estaba mal situado para reprochar a Verne su desinterés. Los estados de cuentas entre el editor y el escritor, que ha publicado Charles-Noël Martin en su obra citada, han revelado la increíble explotación a que Hetzel sometió a Verne. En cuarenta años de trabajo titánico, Verne ganó el equivalente actual de unos 56 millones de pesetas con sus novelas, en tanto que Hetzel realizó unos beneficios de 280 millones de pesetas en el mismo período. La lectura de los sucesivos contratos entre ambos nos deja perplejos. Esta inicua explotación no impidió, sin embargo, que Verne sintiera durante toda su vida un afecto infinito por su editor, en quien veía a su «padre espiritual». A los intereses de Hetzel sacrificó Verne la gran obra literaria virtual que late poderosamente en ese intrincado laberinto de los *Viajes Extraordinarios*.

MIGUEL SALABERT

La vuelta al mundo en ochenta días

En el que Phileas Fogg y Passepartout se aceptan recíprocamente como amo y sirviente

En el año 1872, la casa número 7 de Saville-row, Burlington Gardens –casa en la que murió Sheridan, en 1814–, estaba habitada por Phileas Fogg esq., uno de los más singulares y notables miembros del Reform-Club de Londres, por más que pareciese haberse propuesto no hacer nada que pudiera llamar la atención.

A uno de los más grandes oradores que honran a Inglaterra sucedía así ese enigmático personaje, Phileas Fogg, de quien no se sabía nada, sino que era un hombre muy cortés y uno de los más distinguidos *gentlemen* de la alta sociedad inglesa.

Se decía que se parecía a Byron –por su cabeza, pues era irreprochable por los pies–, pero a un Byron de bigotes y patillas, un Byron impasible que hubiera vivido mil años sin envejecer.

Inglés, con toda seguridad, Phileas Fogg no era quizá londinense. Nunca se le había visto en la Bolsa, ni en la Banca, ni en ninguna de las oficinas comerciales de la City. Ni las dársenas ni los muelles de Londres habían recibido jamás un barco que tuviera a Phileas Fogg por armador. En ningún consejo de administración figuraba el tal caballero. Jamás había resonado su nombre en un colegio de abogados, ni en el Temple, ni en Lincoln's-inn, ni en el Gray's-inn. Nunca había pleiteado ni ante el Tribunal del Canciller, ni ante el de la Reina, ni ante el Exchequer, ni ante ningún tribunal eclesiástico. No era ni industrial, ni negociante, ni comerciante, ni agricultor. No formaba parte ni del Instituto Real de la Gran Bretaña, ni del Instituto de Londres, ni del Instituto de los Artesanos, ni del Instituto Russell, ni del Instituto Literario del Oeste, ni del Instituto de Derecho, ni del Instituto de las Artes y las Ciencias reunidas, que se halla bajo el patrocinio de Su Graciosa Majestad. En fin, no pertenecía a ninguna de las numerosas sociedades que pululan en la capital de Inglaterra, desde la Sociedad de la Armónica hasta la Sociedad Entomológica, fundada principalmente con el fin de destruir a los insectos nocivos.

Phileas Fogg era miembro del Reform-Club, y nada más.

A quien manifestara su asombro de que un caballero tan misterioso figurase entre los miembros de esa honorable asociación, podría explicársele diciendo que entró en ella por recomendación de los hermanos Baring, en cuyo Banco tenía abierta una cuenta. Eso le daba una cierta «fachada», debida a la regularidad con que se pagaban sus cheques contra el saldo de su cuenta corriente invariablemente positivo.

¿Era rico Phileas Fogg? Indiscutiblemente lo era. Pero cómo había hecho fortuna era algo que ni los mejor informados podían decir, y, ciertamente, el señor Fogg era la última persona a quien conviniese dirigirse para saberlo. En todo caso, no derrochaba en nada, aun cuando no fuera un avaro, pues a todo requerimiento de ayuda a una causa noble, útil o generosa respondía él con su aportación silenciosa e incluso anónima.

Nada menos comunicativo que este *gentleman,* en suma. Hablaba lo menos posible. Y su carácter silencioso le hacía parecer aún más misterioso. Y, sin embargo, su vida era

Phileas Fogg

transparente. Pero todo cuanto hacía era siempre tan matemáticamente idéntico que la imaginación, insatisfecha, buscaba más allá.

¿Había viajado? Era probable, pues nadie conocía mejor que él el mapamundi. No había lugar, por remoto que fuere, del que no pareciese tener un conocimiento especial. A veces, en pocas palabras breves y precisas, rectificaba las múltiples versiones que circulaban por el club sobre viajeros perdidos o extraviados, indicando las verdaderas probabilidades. Y esas sus declaraciones parecían a menudo inspirarse en una premonición, a juzgar por la confirmación que siempre acababan por darle los acontecimientos. Era un hombre que había debido viajar por todas partes, mentalmente al menos.

Lo cierto, no obstante, es que desde hacía muchos años Phileas Fogg no había salido de Londres. Los que tenían el honor de conocerle un poco más que los otros atestiguaban que nadie podía pretender haberle visto en otro lugar que en el *club* o en el trayecto que diariamente hacía de su casa al *club.* Su único pasatiempo era leer los periódicos y jugar al *whist.* Ganaba a menudo en ese silencioso juego tan apropiado a su naturaleza, pero esas ganancias no entraban jamás en su bolsa, sino que figuraban, por una respetable suma, en su presupuesto de caridad. Por otra parte, hay que decirlo, el señor Fogg jugaba evidentemente por jugar, no por ganar. El juego era para él un combate, una lucha contra una dificultad, pero una lucha sin movimiento, sin desplazamiento, sin fatiga, lo que convenía perfectamente a su carácter.

No se le conocía ni mujer ni hijos, cosa que puede sucederle a la persona más decente, ni pariente ni amigos, lo que ya es más raro, a decir verdad. Phileas Fogg vivía solo en su casa de Saville-row, no visitada nunca por nadie. Jamás hablaba de su vida hogareña. Un solo sirviente le bastaba. Almorzaba y cenaba en el *club* a horas cronométricamente determinadas, en la misma sala, en la misma mesa, sin tratarse con sus colegas ni invitar a ningún extraño. Regresaba a su casa para acostarse a las doce de la noche en punto. Nunca había hecho uso de las confortables habitaciones que el Reform-Club tenía a la disposición de sus miembros. De las veinticuatro horas del día, pasaba diez en su domicilio, las necesarias para dormir y arreglarse. Cuando paseaba, lo hacía invariablemente y con pasos iguales por el piso de madera con marquetería del vestíbulo, o por la galería circular coronada por una cúpula de vidrieras azules sustentadas por veinte columnas jónicas de pórfido rojo. Cuando almorzaba o cenaba eran las cocinas, la despensa, la pescadería y la lechería del *club* las que enviaban a su mesa sus suculentas reservas; eran los camareros del *club*, graves personajes vestidos de negro y calzados con zapatos de suelas de fieltro, quienes le servían en vajilla de porcelana especial y sobre una admirable mantelería blanca de tela sajona; eran las copas de cristal tallado del *club* las que contenían su jerez, su oporto o su burdeos mezclado con canela, capilaria y cinamomo; era, en fin, el hielo del club –traído onerosamente de los lagos de América– el que mantenía sus bebidas en un satisfactorio estado de frialdad.

Si vivir en tales condiciones es ser excéntrico, ha de convenirse que la excentricidad es una buena cosa.

Sin ser suntuosa, la casa de Saville-row era extremadamente cómoda. Dadas las invariables costumbres de su inquilino, el servicio se reducía a poca cosa. Sin embargo, Phileas Fogg exigía de su único sirviente una puntualidad y una regularidad extraordinarias. Aquel mismo día, el 2 de octubre, Phileas Fogg había despedido a James Forster, culpable de haberle llevado el agua para afeitarse a 84° Fahrenheit en vez de a 86°, y estaba esperando al sucesor de éste que debía presentarse de once a once y media.

Phileas Fogg, sentado en su sillón, los pies juntos como los de un soldado en posición de firme, las manos apoyadas en las rodillas, el cuerpo recto, erguida la cabeza, contemplaba la marcha de la aguja de un reloj de pared, un complicado aparato que indicaba las horas, los minutos, los segundos, el día y el año. A las once y media en punto, el señor Fogg, según su cotidiana costumbre, debía abandonar su casa para dirigirse al Reform-Club.

En aquel momento, llamaron a la puerta del saloncito en que se hallaba Phileas Fogg.

James Forster, el despedido, apareció:

—El nuevo doméstico —dijo.

Un mozo de unos treinta años de edad apareció haciendo un saludo.

—¿Es usted francés y se llama John? —le preguntó Phileas Fogg.

—Jean, si no le molesta al señor —respondió el recién llegado—. Jean Passepartout, un apodo que me ha ganado mi natural aptitud para salir con bien de toda dificultad. Creo ser un hombre honrado, señor, pero, para serle franco, debo decirle que he tenido varios oficios. He sido cantante, artista ecuestre en un circo, volatinero como Leotard y funámbulo como Blondin. A fin de hacer más útiles mis talentos me convertí luego en profesor de gimnasia, y, por último, fui sargento de bomberos en París. Tengo incendios memorables en mi historial. Pero hace cinco años ya que abandoné Francia y que, deseando probar la vida familiar, estoy en Inglaterra como ayuda de cámara. Como me hallaba sin colocación, al enterarme de que el señor Phileas Fogg era el hombre más exacto y sedentario del Reino Unido, he venido a su casa con la esperanza de vivir tranquilamente en ella y de poder olvidar hasta este mote de Passepartout...

—Passepartout me conviene —respondió el *gentleman*—. Me ha sido usted recomendado con buenos informes. ¿Conoce usted mis condiciones?

—Sí, señor.

—Bien. ¿Qué hora tiene usted?

Jean Passepartout

–Las once y veintidós –respondió Passepartout, tras haber sacado de las profundidades del bolsillo de su chaleco un enorme reloj de plata.

–Va retrasado.

–Perdóneme el señor, pero eso es imposible.

–Cuatro minutos de retraso. No importa. Basta con tener en cuenta la diferencia. Bien, a partir de este momento, las once y veintinueve de la mañana de hoy, miércoles, 2 de octubre de 1872, se halla usted a mi servicio.

Dicho esto, Phileas Fogg se levantó, tomó su sombrero con la mano izquierda, lo colocó sobre su cabeza con un movimiento de autómata y desapareció sin añadir una palabra más.

Passepartout oyó la puerta de la calle cerrarse; era su nuevo amo, que salía; luego, una segunda vez; era su predecesor James Forster, quien se iba a su vez.

Passepartout permaneció solo en la casa de Saville-row.

Capítulo 2
Que muestra a Passepartout convencido de haber hallado, al fin, su ideal

«**P**odría jurar, se dijo Passepartout, un tanto asombrado, que he conocido en los salones de la señora Tussaud personajes tan vivos, tan animados, como mi nuevo señor.»

Los personajes de la señora Tussaud, hay que decirlo, son las tan visitadas figuras de cera de Londres, a las que verdaderamente sólo les falta la palabra.

Durante los pocos instantes que había pasado con Phileas Fogg, Passepartout lo había examinado rápida pero cuidadosamente. Era un hombre que podría tener cuarenta años, de noble y hermoso rostro, de elevada estatura, que no deslucía una ligera gordura. Su barba y sus cabellos eran rubios. Tenía tersa la frente, sin arrugas en las sienes, y el color de su faz era más bien pálido que sonrosado. Su dentadura era magnífica. Parecía poseer en su más alto grado lo que los fisonomistas llaman «el reposo en la acción», facultad común a todos los que hacen más trabajo que ruido. Sereno, flemático, pura la mirada, inmóviles los párpados, era el tipo acabado de esos ingleses de sangre fría que tanto abundan en el Reino Unido y cuya actitud un tanto académica ha sido maravillosamente reflejada por el pincel de Angelica Kauffmann. A través de los diversos actos de su existencia, este *gentleman* daba la impresión de ser muy equilibrado en todo, ponderado, tan perfecto como un cronómetro de Leroy o de Earnshaw. Pues, en efecto, Phileas Fogg era la exactitud personificada, lo que se veía claramente en «la expresión de sus pies y de sus manos», ya que tanto en el hombre como en los animales las extremidades son órganos expresivos de las pasiones.

Phileas Fogg era de esas personas matemáticamente exactas, que, jamás precipitadas pero siempre dispuestas, economizan pasos y movimientos. Nunca daba un paso de más, por elegir siempre el camino más corto. Nunca se le perdía una mirada en el techo. No se permitía ningún gesto superfluo. Jamás se le había visto emocionado o turbado. Era el hombre menos apresurado del mundo, pero siempre llegaba a tiempo. Por todo esto se comprenderá que viviera solo y, por así decirlo, fuera de toda relación social. Sabía que la vida social exige el «frotamiento» y como éste retrasa no se «frotaba» con nadie.

En cuanto a Jean, alias Passepartout, un verdadero parisién, durante los cinco años que llevaba en Londres desempeñando el oficio de ayuda de cámara había buscado en vano un amo con quien pudiera encariñarse.

Passepartout no era uno de esos Frontins o Mascarillos que, erguida la cabeza, desafiante la nariz, y seca e impertinente la mirada, se comportan como insolentes bellacos. No, Passepartout era un buen muchacho, de amable fisonomía, con unos labios un poco salientes siempre dispuestos a saborear o a acariciar algo, un ser dulce y servicial, con una de esas cabezas redondas que a uno le gusta ver sobre los hombros de un amigo. Tenía los ojos azules, animado el color de su rostro y éste lo bastante grueso como para que pudiera verse sus propios pómulos; ancho de tórax y fuerte de complexión, con una vigorosa musculatura y una fuerza hercúlea que habían desarrollado admirablemente los ejercicios de su juventud. Sus cabellos oscuros estaban siempre enma-

rañados. Si los escultores de la Antigüedad conocían diecio-
cho formas de peinar la cabellera de Minerva, Passepartout
sólo conocía una para componer la suya: con tres golpes de
peine daba por bueno su peinado.

La más elemental prudencia prohíbe predecir si el carácter expansivo del muchacho podría avenirse con el de Phileas Fogg. ¿Sería Passepartout el doméstico profundamente
exacto que necesitaba Fogg? Era algo que sólo la práctica podría demostrar.

Tras haber vivido una juventud bastante vagabunda, Passepartout aspiraba al reposo. Habiendo oído alabar el meto-
dismo inglés y la frialdad proverbial de los *gentlemen* fue a
Inglaterra a probar fortuna. Pero hasta entonces la suerte le
había sido esquiva. No había podido echar raíces en parte alguna. Había pasado ya por diez casas, sin hallar otra cosa
que gentes fantasiosas, inquietas, aventureras y viajeras, costumbres estas que no podían ya convenir a Passepartout. Su
último señor, el joven Lord Longsferry, miembro del Parlamento, solía regresar a su casa, tras haber pasado las noches
en los *oysters-rooms* de Hay-Market, a hombros de dos policías. Llevado sobre todo del deseo de poder estimar a su señor, Passepartout había arriesgado algunas respetuosas observaciones que fueron mal recibidas y determinaron la
ruptura. Por entonces supo que Phileas Fogg, esq., buscaba
un ayuda de cámara, y se informó acerca de este caballero.
Una persona con una existencia tan regular, que no dormía
jamás fuera de casa, que no viajaba, que no se ausentaba
nunca, ni un solo día, no podía sino convenirle. Se presentó
y fue admitido en las circunstancias ya conocidas.

A las once y media, Passepartout se hallaba solo en la casa
de Saville-row, cuya inspección comenzó inmediatamente,
desde la cueva al desván. La casa, limpia, ordenada, severa,
puritana, bien organizada para el servicio, le gustó. Le produjo la impresión de una concha de caracol, pero de una
concha iluminada y calentada al gas, pues el hidrocarburo

satisfacía allí todas las necesidades de luz y de calor. Passe-partout halló fácilmente en el segundo piso la habitación que le estaba destinada. Le gustó. Timbres eléctricos y tubos acústicos le ponían en comunicación con los aposentos del entresuelo y del primer piso. Sobre la chimenea un reloj eléctrico correspondía con el reloj del dormitorio de Phileas Fogg, y los dos marcaban en el mismo instante el mismo segundo.

«Me gusta esto, me gusta esto», se decía Passepartout.

Encima del reloj de su habitación, fijada a la pared, vio una hoja con el programa del servicio cotidiano. Desde las ocho de la mañana, hora en que reglamentariamente se levantaba Phileas Fogg, hasta las once y media, hora en la que dejaba su casa para ir a almorzar al Reform-Club, el programa incluía todos los detalles del servicio: el té con tostadas, a las ocho veintitrés; el agua caliente para afeitarse, a las nueve treinta y siete; el peinado, a las diez menos veinte, etc. Desde las once y media de la mañana hasta las doce de la noche –hora a la que se acostaba el metódico caballero– todo estaba anotado, previsto, reglamentado. Passepartout se divirtió estudiando el programa y grabando en su memoria los diversos artículos del mismo.

El guardarropa del señor estaba magníficamente surtido y perfectamente ordenado. Cada pantalón, levita o chaleco estaba numerado, y el número de orden reproducido en un registro de entrada y salida, en el que se indicaba la fecha en que, según la estación, debía ser usada cada prenda. Idéntica reglamentación para los zapatos.

En aquella casa de Saville-row –que debía haber sido el templo del desorden en la época del ilustre pero disipado Sheridan– el confortable mobiliario denunciaba la desahogada posición de su inquilino. Ni biblioteca ni libros, inútiles para el señor Fogg que tenía a su disposición en el Reform-Club dos bibliotecas, una consagrada a las letras y la otra al Derecho y a la política. En el dormitorio había una caja fuerte de regular tamaño, cuya especial construcción le ponía a salvo de todo riesgo de robo o incendio. Ni un arma en la casa, ni un utensilio de caza o de guerra. Todo indicaba allí los hábitos más pacíficos.

Acabada la minuciosa inspección de la casa, Passepartout se frotó las manos alegremente mientras, iluminado su rostro por un gesto risueño, se decía:

«¡Me gusta esto! ¡Es lo que yo andaba buscando! ¡Vamos a entendernos perfectamente el señor Fogg y yo! ¡Un hombre casero y regular! ¡Una verdadera máquina! Pues bien, no me desagrada servir a una máquina.»

Capítulo 3
En el que se entabla una conversación que puede costar cara a Phileas Fogg

Phileas Fogg salió de su casa a las once y media, y tras haber colocado quinientas setenta y cinco veces su pie derecho ante su pie izquierdo y quinientas setenta y seis veces su pie izquierdo ante el derecho llegó al Reform-Club, vasto edificio elevado en Pall-Mall, cuya construcción no había costado menos de tres millones.

Phileas Fogg se dirigió inmediatamente al comedor, cuyas nueve ventanas daban a un hermoso jardín con árboles ya dorados por el otoño. Se instaló ante la mesa, ya dispuesta, que se le reservaba religiosamente. Su almuerzo se componía de unos entremeses, de un pescado hervido sazonado con una *reading sauce* de primera calidad, de un *rosbif* escarlata con setas por guarnición, de un pastel relleno de tallos de ruibarbo y de grosellas y de un trozo de *chester,* todo ello regado por algunas tazas de un té excelente, especialmente reservado al Reform-Club.

A las doce y cuarenta y siete, abandonó el comedor y se dirigió al gran salón, una suntuosa pieza ornamentada con cuadros lujosamente enmarcados. Allí, un ordenanza le entregó el *Times* sin desdoblar, operación laboriosa a la que se entregó Phileas Fogg con una habilidad que denotaba una gran experiencia. La lectura de ese periódico ocupó a Phileas Fogg hasta las tres cuarenta y cinco, y la del *Standard,* que le sucedió, duró hasta la cena, que se efectuó en las mismas condiciones que el almuerzo, con la diferencia de una adición de *royal british sauce.*

A las seis menos veinte, el caballero reapareció en el gran salón, donde pronto le absorbió la lectura del *Morning Chronicle.*

Media hora después aparecieron varios miembros del Reform-Club, que se acercaron a la chimenea en la que ardía un fuego de carbón. Eran los habituales compañeros de Phileas Fogg, tan empedernidos jugadores de *whist* como él. El ingeniero Andrew Stuart, los banqueros John Sullivan y Samuel Fallentin, el cervecero Thomas Flanagan y Gauthier Ralph, uno de los administradores del Banco de Inglaterra. Todos ellos eran personajes ricos y considerados, incluso en ese *club* que cuenta entre sus miembros las personalidades más destacadas de la industria y las finanzas.

–Díganos, Ralph –preguntó Thomas Flanagan–, ¿qué hay de ese robo?

–Yo espero, por el contrario –dijo Gauthier Ralph–, que atraparemos al autor del robo. Se ha enviado a los más hábiles inspectores de policía a los principales puertos de Europa y América, y a ese señor le va a ser muy difícil escapar.

–¿Es que se ha identificado o se conoce el aspecto del ladrón? –preguntó Andrew Stuart.

–No es un ladrón –respondió Gauthier Ralph, con toda seriedad.

–¿Cómo? ¿No es un ladrón un individuo que sustrae cincuenta y cinco mil libras en billetes de Banco?

–No –respondió Gauthier Ralph.

–¿Qué es entonces, un industrial? –dijo John Sullivan.

–El *Morning Chronicle* asegura que es un *gentleman.*

Quien había dicho esto no era otro que Phileas Fogg, cuya cabeza emergió en ese momento del mar de papel amontonado en torno suyo, para saludar a sus contertulios, que correspondieron a su saludo.

El hecho de que hablaban y del que discutían con ardor los periódicos del Reino Unido había tenido lugar tres días antes, el 29 de septiembre. Un fajo de billetes cuyo valor ascendía a la enorme suma de cincuenta y cinco mil libras había sido sustraído de la ventanilla del cajero principal del Banco de Inglaterra.

A cuantos se admiraban de que tal robo hubiese podido producirse tan fácilmente, el subgobernador del Banco, Gauthier Ralph, respondía diciendo que en ese momento el cajero se hallaba ocupado en registrar un ingreso de tres chelines y seis peniques, y que no se podía estar atento a todo.

Pero conviene observar aquí, pues que ello hace más explicable lo sucedido, que ese admirable establecimiento que es el *Bank of England* parece preocuparse extremadamente de mostrar la alta consideración en que tiene a la dignidad del público. Ni un guardia, ni una reja, ni un vigilante. El oro, la plata y los billetes están expuestos allí libremente y, por así decirlo, al alcance del primero que llegue. Uno de los mejores observadores de las costumbres inglesas cuenta que hallándose un día en una de las salas del Banco tuvo la curiosidad de ver de cerca un lingote de oro, de siete a ocho libras de peso, que se hallaba expuesto sobre la mesa del cajero. Tomó el lingote, lo examinó, se lo pasó a su vecino, éste a otro, y así el lingote fue pasando de mano en mano hasta el fondo de un oscuro corredor, del que regresó tan sólo al cabo de media hora a su lugar, sin que el cajero hubiera levantado tan siquiera la cabeza.

Pero el 29 de septiembre no ocurrió lo mismo. El fajo de billetes no volvió, y cuando el magnífico reloj situado encima del *drawing-office* dio las cinco, hora del cierre de las oficinas, al Banco de Inglaterra no le quedaba ya más recurso que pasar las cincuenta y cinco mil libras a la cuenta de pérdidas y ganancias.

Una vez reconocido el robo, se envió a los más hábiles agentes o «detectives» a los puertos más importantes, a Liverpool, a Glasgow, a Le Havre, a Suez, a Brindisi, a Nueva York, etc., con el aliciente de recompensar el éxito con una prima fija de dos mil libras esterlinas más el cinco por ciento de la cantidad que pudiera recuperarse. En espera de las informaciones que deparara la investigación inmediatamente comenzada, los inspectores tenían por misión la escrupulosa observación de todos los viajeros que llegaran o partieran. Ahora bien, tal y como decía el *Morning Chronicle,* se tenía la sospecha de que el autor del robo no pertenecía a ninguna de las sociedades de ladrones conocidas en Inglaterra. Durante aquella jornada del 29 de septiembre se había visto a un caballero bien vestido, de buenos modales y con aire distinguido, ir y venir por la sala de pagos que había sido escenario del robo. Las investigaciones habían permitido trazar con bastante exactitud los rasgos y señales de dicho caballero, y tales datos habían sido inmediatamente comunicados a todos los detectives del Reino Unido y del Continente. Muchas personas, y entre ellas Gauthier Ralph, confiaban en que el ladrón no pudiera escapar.

Como puede suponerse, el suceso constituía la materia de todas las conversaciones en Londres y en toda Inglaterra. Se discutía apasionadamente en torno a las probabilidades de éxito o de fracaso de la policía metropolitana. No es, pues, de extrañar que la cuestión fuese discutida por los miembros del Reform-Club, con tanto más motivo cuanto que uno de ellos era uno de los subgobernadores del Banco.

El honorable Gauthier Ralph no podía dudar del resultado de las pesquisas, por estimar que la prima ofrecida debía contribuir singularmente a aguzar el celo y la inteligencia de los agentes. Pero su colega, Andrew Stuart, distaba mucho de compartir su confianza. La discusión continuó por lo tanto entre ellos, ya instalados ante la mesa de *whist* que situaba a Stuart frente a Flanagan y a Fallentin frente a

Phileas Fogg. Durante el juego no hablaban, pero entre baza y baza la interrumpida conversación se reanudaba animadamente.

–Pues yo mantengo –dijo Andrew Stuart– que las probabilidades juegan a favor del ladrón que, sin duda, ha de ser un hombre muy hábil.

–¡Vamos hombre! –respondió Ralph–, no hay un solo país en el que pueda refugiarse.

–¿Y eso?

–¿Dónde quiere usted que vaya?

–No lo sé –respondió Andrew Stuart–, pero, después de todo, la Tierra es muy grande.

–Lo era antes –musitó Phileas Fogg, quien añadió: «Le toca a usted cortar», dirigiéndose a Thomas Flanagan, al tiempo que le daba la baraja.

La distribución de cartas interrumpió la discusión. Pero Andrew Stuart no tardó en reanudarla, diciendo:

–¿Cómo? ¿Antes, dice usted? ¿Es que acaso ha disminuido el tamaño de la Tierra?

–Claro que sí –repuso Gauthier Ralph–. Opino como el señor Fogg. La Tierra ha disminuido, puesto que se puede recorrerla ahora diez veces más rápidamente que hace cien años. Y esto contribuirá, volviendo al caso que nos ocupa, a dar mayor rapidez a la investigación.

–Y a facilitar también la huida del ladrón.

–Usted juega, señor Stuart –dijo Phileas Fogg.

Pero el incrédulo Stuart no estaba convencido, y, una vez acabada la baza, dijo:

–Hay que reconocer, señor Ralph, que ha hallado usted una curiosa manera de expresar el empequeñecimiento del mundo. Así, porque se pueda ahora dar la vuelta al mundo en tres meses...

–En ochenta días tan sólo –dijo Phileas Fogg.

–En efecto, señores –añadió John Sullivan–. En ochenta días, desde la apertura por el *Great Indian Peninsular Rail-*

way del tendido entre Rothal y Allahaban. He aquí el cálculo establecido por el *Morning Chronicle*:

	Días
De Londres a Suez por el Monte Cenis y Brindisi, por ferrocarril y barco	7
De Suez a Bombay, por barco	13
De Bombay a Calcuta, por ferrocarril	3
De Calcuta a Hong-Kong (China), por barco	13
De Hong-Kong a Yokohama (Japón), por barco	6
De Yokohama a San Francisco, por barco	22
De San Francisco a Nueva York, por ferrocarril	7
De Nueva York a Londres, por barco y ferrocarril	9
Total	80

–Sí, ¡ochenta días! –exclamó Andrew Stuart, que distraídamente había cortado la baraja–, pero sin incluir en ese cálculo las posibilidades de mal tiempo, de vientos contrarios, de naufragios, de descarrilamientos, etc.

–Todo incluido –respondió Phileas Fogg, sin dejar de jugar, pues ya la discusión había dejado de respetar al *whist*.

–¿Incluso si los hindúes o los indios cortan los raíles, o detienen los trenes, o saquean los vagones, o escalpelan a los viajeros? –dijo Andrew Stuart.

–Todo incluido –repuso nuevamente Phileas Fogg, al tiempo que abatiendo su juego anunciaba dos triunfos mayores.

Andrew Stuart, a quien correspondía ahora distribuir las cartas, las recogió al tiempo que decía:

–Teóricamente, quizá tenga razón, señor Fogg, pero en la práctica...

–En la práctica también, señor Stuart.

–Me gustaría verle a usted hacerlo.

–Pues bien, sí, señor Fogg, sí, apuesto cuatro mil libras

–Eso sólo depende de usted. Partamos juntos.

–¡Líbreme el cielo! –exclamó Stuart–, pero, en cambio, apostaría cuatro mil libras a que es imposible hacer tal viaje en ese tiempo.

–Es muy posible, al contrario –respondió Fogg.

–Pues bien, hágalo.

–¿Dar la vuelta al mundo en ochenta días?

–Sí.

–De acuerdo.

–¿Cuándo?

–En seguida.

–¡Es una locura! –exclamó Andrew Stuart, molesto por la insistencia de su compañero–. ¡Bueno, más vale que juguemos!

–Entonces, vuelva a dar las cartas, porque lo ha hecho mal.

Andrew Stuart tomó nuevamente la baraja con un gesto febril. De repente, dejándolas sobre la mesa, dijo:

–Pues bien, sí, señor Fogg, sí, apuesto cuatro mil libras.

–Querido Stuart –dijo Fallentin–, cálmese. Esto no es serio.

–Cuando yo digo que apuesto, lo digo siempre en serio.

–De acuerdo –dijo Fogg.

Y dirigiéndose a sus contertulios, añadió:

–Tengo veinte mil libras depositadas en el Banco de los hermanos Baring, y estoy dispuesto a arriesgarlas.

–¡Veinte mil libras! –exclamó John Sullivan– ¡Veinte mil libras que puede hacerle perder un retraso imprevisto!

–Lo imprevisto no existe –respondió sencillamente Phileas Fogg.

–Pero, señor Fogg, ¡ese período de ochenta días ha sido calculado como el mínimo de tiempo posible!

–Un mínimo bien empleado basta para todo.

–Pero, para no excederlo habría que saltar matemáticamente de los trenes a los barcos y de éstos a los trenes.

–Saltaré matemáticamente.

–¡Es una broma!

–Un buen inglés no bromea nunca cuando se trata de algo tan serio como una apuesta –respondió Phileas Fogg–. Apuesto veinte mil libras contra quien quiera a que daré la vuelta al mundo en ochenta días o menos, es decir en mil novecientas veinte horas o en ciento quince mil doscientos minutos. ¿Aceptan ustedes?

–Aceptamos –respondieron Stuart, Fallentin, Sullivan, Flanagan y Ralph, tras haberse concertado.

–Bien –dijo el señor Fogg–. El tren de Dover sale a las ocho y cuarenta y cinco. Lo tomaré.

–¿Esta misma tarde? –preguntó Stuart.

–Esta misma tarde –respondió Phileas Fogg–. Dado que hoy es miércoles 2 de octubre –dijo, consultando un calendario de bolsillo–, deberé estar de regreso en Londres, en el mismo salón del Reform-Club, a las ocho y cuarenta y cinco de la tarde del sábado 21 de diciembre. De no ser así, las veinte mil libras depositadas actualmente en mi cuenta corriente en Baring hermanos les pertenecerán de hecho y de derecho. He aquí un cheque por tal suma.

Se levantó acta de la apuesta, que firmaron inmediatamente los seis interesados. Phileas Fogg se hallaba tan sereno como siempre. No había apostado, ciertamente, por ganar, y si había comprometido en el empeño veinte mil libras, la mitad de su fortuna, era porque preveía que tendría que gastar otras tantas en la realización de su difícil, por no decir imposible, proyecto. La visible emoción de sus adversarios no tenía por causa el valor de la apuesta, sino los escrúpulos que sentían por luchar en tales condiciones.

Eran ya las siete de la tarde, y se propuso a Fogg la interrupción de la partida, a fin de que pudiese realizar sus preparativos de marcha.

–Yo estoy siempre preparado –respondió el impasible *gentleman,* que prosiguió dando las cartas:

–Diamantes son triunfos –dijo–. A usted le toca jugar, señor Stuart.

Capítulo 4
En el que Phileas Fogg asombra a Passepartout

A las siete y veinticinco, Phileas Fogg, que había ganado una veintena de guineas al *whist,* se despidió de sus honorables contertulios y abandonó el Reform-Club. A las siete cincuenta, entraba en su casa.

Passepartout, que había estudiado concienzudamente su programa, quedó sorprendido al ver al señor Fogg, culpable de inexactitud, aparecer a hora tan insólita, pues el programa prescribía el regreso del inquilino de Saville-row a las doce en punto de la noche.

Phileas Fogg subió a su habitación y llamó a Passepartout.

Passepartout no respondió. No podía ser él el destinatario de la llamada. No era la hora.

–¡Passepartout! –repitió el señor Fogg, sin elevar la voz.

Passepartout se presentó.

–Es la segunda vez que le llamo –dijo el señor Fogg.

–¡Pero si no es medianoche! –respondió Passepartout, reloj en mano.

–Lo sé, y no le reconvengo. Salimos dentro de diez minutos hacia Dover y Calais.

Un esbozo de mueca contrajo la redonda faz del francés. Era evidente que había oído mal.

–¿El señor se desplaza? –preguntó.

–Sí. Vamos a dar la vuelta al mundo.

Los ojos desmesuradamente abiertos, la elevación de cejas y párpados, la caída de los brazos a lo largo de su cuerpo inclinado traducían en Passepartout los síntomas de un asombro que confinaba con el estupor.

–¡La vuelta al mundo! –murmuró.

–En ochenta días –respondió el señor Fogg–. No tenemos ni un instante que perder.

–Pero ¿y las maletas? –preguntó Passepartout que, inconscientemente, movía la cabeza de derecha a izquierda.

–Sin maletas. Un simple bolso. Dentro, dos camisas de lana y tres pares de calcetines. Lo mismo para usted. Compraremos por el camino. Baje mi *mackintosh* y mi manta de viaje. Lleve buenos zapatos, aunque andaremos poco o nada. ¡Vamos!

Passepartout hubiera querido decir algo, pero no pudo. Salió de la habitación del señor Fogg, subió a la suya, se derrumbó en una silla y, empleando una frase bastante vulgar de su idioma, se dijo:

–¡Ésta sí que es buena! ¡Y yo que quería tranquilidad!

Maquinalmente, hizo los preparativos. ¡La vuelta al mundo en ochenta días! ¿Tenía que habérselas con un loco? No... ¿Se trataba de una broma? Iban a Dover. Bien. A Calais. Bueno. Después de todo, tras cinco años de ausencia de su patria, eso no le contrariaba excesivamente. Quizás llegaran incluso a París, y no le disgustaba volver a ver la gran capital. Seguramente, un hombre tan avaro de movimientos se detendría allí... Sí, sin duda, pero no era menos cierto que ese hombre partía, se desplazaba... ¡Un hombre tan sedentario hasta entonces!

A las ochos Passepartout tenía ya preparado el bolso que contenía el modesto guardarropa de los dos. Aún turbado, salió de su habitación cuya puerta cerró cuidadosamente y bajó a reunirse con el señor Fogg.

Una pobre mendiga

El señor Fogg estaba ya dispuesto. Llevaba bajo el brazo el *Bradshaw's continental railway steam transit and general guide,* que debía proveerle todas las indicaciones necesarias a su viaje. Tomó el bolso de manos de Passepartout, lo abrió y metió en él un abultado fajo de billetes de banco.

–¿No ha olvidado nada?

–Nada, señor.

–¿Y mi *mackintosh* y mi manta?

–Aquí los tiene.

–Bien, coja el bolso.

El señor Fogg entregó el bolso a Passepartout.

–Y tenga cuidado con él –añadió–. Dentro, hay veinte mil libras.

Poco faltó para que el bolso cayera de las manos de Passepartout, como si las veinte mil libras hubieran sido de oro y pesado considerablemente.

Salieron ambos a la calle y cerraron la puerta de la casa con doble vuelta de llave.

Al final de Saville-row había una parada de coches. Tomaron un *cab* que se dirigió rápidamente hacia la estación de Charing-Cross, en la que termina uno de los ramales del *South-Eastern railway.* A las ocho y veinte, el coche se detuvo ante la verja de la estación. Passepartout saltó al suelo. El señor Fogg pagó al cochero y le siguió.

En aquel momento, una pobre mendiga que llevaba un niño de la mano, ambos descalzos por el lodo, tocada con un sombrero roto del que pendía una pluma lamentable, y con un chal agujereado sobre sus harapos, se acercó al señor Fogg y le pidió una limosna.

El señor Fogg sacó de su bolsillo las veinte guineas que acababa de ganar al *whist* y se las dio a la mendiga.

–Tenga, buena mujer, me alegro de haberla encontrado –dijo y siguió andando.

A Passepartout se le humedecieron las pupilas. El señor Fogg acababa de dar un paso en el corazón de Passepartout.

Ambos entraron en la gran sala de la estación. Allí, Phileas Fogg ordenó a Passepartout que tomara dos billetes de primera clase para París. Al volverse, Phileas Fogg vio a sus cinco contertulios del Reform-Club.

–Voy a partir, señores –les dijo–; los sellos de los visados en mi pasaporte les permitirán, a mi regreso, controlar mi itinerario.

–¡Oh, señor Fogg! –respondió cortésmente Gauthier Ralph–, eso es innecesario. Confiamos en su honor de caballero.

–Es mejor así –dijo Fogg.

–No olvide que debe regresar... –dijo Andrew Stuart.

–Dentro de ochenta días –respondió el señor Fogg–, el sábado 21 de diciembre de 1872, a las ocho y cuarenta y cinco minutos de la tarde. Hasta la vista, señores.

A las ocho cuarenta, Phileas Fogg y Passepartout se instalaban en el mismo compartimento. A las ocho cuarenta y cinco sonó un silbato y el tren se puso en marcha.

La noche estaba oscura. Caía una lluvia fina. Phileas Fogg, arrellanado en un rincón, no hablaba. Passepartout, conmocionado aún, apretaba maquinalmente contra su pecho el bolso del dinero.

Pero el tren no había pasado aún de Sydenham, cuando Passepartout lanzó un grito de desesperación.

–¿Qué le ocurre? –preguntó Phileas Fogg.

–Pues... que... en mi precipitación... en mi atolondramiento... he olvidado...

–¿Qué?

–Apagar la luz de gas de mi cuarto.

–Pues bien, muchacho –respondió fríamente Fogg–, arderá por su cuenta.

Capítulo 5
En el que aparece un valor nuevo en la plaza de Londres

Al partir de Londres, Phileas Fogg no sospechaba, sin duda, la gran sensación que suscitaría su viaje. La noticia de la apuesta se extendió primero por el Reform-Club, produciendo una gran emoción entre los miembros del honorable círculo. Luego, del *club,* la emoción pasó a los periódicos a través de los reporteros, y de los periódicos al público de Londres y de todo el Reino Unido.

La «cuestión de la vuelta al mundo» se comentó, se discutió y se analizó con tanto ardor y pasión como si se hubiese tratado de un nuevo caso del *Alabama.* Unos tomaron partido por Phileas Fogg y otros, que pronto formarían una considerable mayoría, se pronunciaron contra él. Realizar una vuelta al mundo, no ya en teoría o sobre el papel, sino en la práctica, en un tiempo tan mínimo y con los medios de comunicación actualmente existentes, era no solamente imposible sino algo absolutamente insensato.

El *Times,* el *Standard,* el *Evening Star,* el *Morning Chronicle* y una veintena más de periódicos de gran circulación se declararon contra Phileas Fogg. Tan sólo el *Daily Telegraph* le apoyó hasta cierto punto. Phileas Fogg se vio tratado de maniaco, de loco, y sus contertulios del Reform-Club fueron

No había un solo lector…

criticados por haber realizado semejante apuesta, que denunciaba la debilidad de las facultades mentales de su autor.

La cuestión provocó la publicación de un buen número de artículos apasionados, pero lógicos. Sabido es el interés que suscita en Inglaterra todo lo que concierne a la geografía. Por ello, no había un solo lector, cualquiera que fuera la clase a que perteneciese, que no devorase las columnas dedicadas a la aventura de Phileas Fogg.

Durante los primeros días, algunos atrevidos, y entre ellos las mujeres en primer lugar, se pronunciaron en favor suyo, sobre todo cuando el *Illustrated London News* publicó su retrato tomado de la fotografía depositada en los archivos del Reform-Club. Algunos *gentlemen* osaban decir: «¡Eh! Y después de todo, ¿por qué no? Cosas más extraordinarias se han visto». Quienes así hablaban eran sobre todo los lectores del *Daily Telegraph*. Pero pronto se advirtió que incluso este diario comenzaba a ceder en su convicción.

En efecto, el 7 de octubre aparecía un extenso artículo en el *Boletín de la Real Sociedad de Geografía* que trataba el problema desde todos los puntos de vista y demostraba claramente la locura de la empresa. Según el artículo, todo estaba contra el viajero, tanto los obstáculos humanos como los de la naturaleza. El éxito de la empresa obligaba a admitir la posibilidad de una milagrosa concordancia de las horas de llegada y partida, concordancia que ni existía ni podía existir. Todavía en Europa, donde los trayectos son de una longitud relativamente pequeña, cabía contar, en rigor, con la exactitud de los horarios de los trenes, pero cuando éstos invierten tres días en atravesar la India y siete en cruzar los Estados Unidos, ¿cómo basar en su exactitud tal empresa? ¿Podían descartarse las averías de las locomotoras, los descarrilamientos, los choques, el mal tiempo, la acumulación de las nieves? ¿Es que todo esto no estaba contra Phileas Fogg? Y en los barcos, durante el invierno, ¿no se hallaría a la merced de los vientos y de las nieblas? ¿Tan raro era que los más veloces barcos de las líneas transoceánicas sufrieran retrasos de dos o tres días? Ahora bien, bastaba un retraso, uno solo, para que la cadena de comunicaciones quedara irreparablemente rota. Si Phileas Fogg perdía la salida de un barco, aunque fuese por unas horas, se vería obligado a esperar al siguiente, con lo que su empresa quedaría comprometida irrevocablemente.

El artículo causó gran sensación. Casi todos los periódicos lo reprodujeron, y las acciones de Phileas Fogg bajaron singularmente.

Durante los primeros días que siguieron a su partida, se habían invertido, en efecto, grandes sumas sobre tan aleatoria empresa. Conocido es el mundo de las apuestas de Inglaterra, mundo más inteligente y notable que el del juego. La apuesta forma parte del temperamento inglés. Ello explica que no sólo los diversos miembros del Reform-Club cruzaran considerables apuestas por o contra Phileas Fogg sino que también la masa del público entrara en el movimiento. Se inscribió a Phileas Fogg como un caballo de carreras, en una especie de *studbook*. Se hizo también de él un valor bursátil, inmediatamente cotizado en la plaza de Londres. Se compraban y se vendían acciones Phileas Fogg, al contado o con prima, y se hicieron beneficios enormes. Pero a los cinco días de su partida, a consecuencia del artículo del *Boletín de la Sociedad de Geografía,* comenzaron a afluir las ofertas y con ellas la baja de «los Phileas Fogg». Ofrecidos por paquetes, se comenzó a comprar a cinco primero, luego a diez, a veinte, a cincuenta y hasta a cien.

Tan sólo le quedó un partidario, el viejo paralítico lord Albermale. El noble *gentleman,* clavado a su sillón, hubiera dado toda su fortuna por poder dar la vuelta al mundo, aunque fuera en diez años. Había apostado cinco mil libras a favor de Phileas Fogg. Cuando se le demostró la inanidad a la vez que la inutilidad del proyecto, se limitó a responder: «Si la cosa es factible, bueno es que sea un inglés quien la realice el primero».

Los partidarios de Phileas Fogg iban rarificándose así cada vez más. Todo el mundo, y no sin razón, iba alineándose contra él, hasta el punto de que las apuestas se situaban ya a ciento cincuenta y hasta a doscientos contra uno. Tal era la situación, cuando, a los siete días de su partida, un hecho inesperado vino a reducir a cero «el valor Phileas Fogg».

A las nueve horas de la noche de ese día, el director de la policía metropolitana recibió un telegrama así redactado:

«Suez a Londres

Rowan, director policía, administración central, Scotland Yard. Sigo al ladrón de Banco, Phileas Fogg. Envíeme sin demora orden de arresto a Bombay (India inglesa).

FIX, detective.»

El efecto del telegrama fue fulminante. El honorable *gentleman* desapareció tras los rasgos del ladrón de banco. Se examinó su fotografía depositada junto con la de sus compañeros de círculo en el Reform-Club. La fotografía coincidía exactamente con los rasgos del inculpado como sospechoso que había establecido la investigación. Se recordó el misterio que rodeaba la existencia de Phileas Fogg, su aislamiento, su súbita partida, y pareció evidente que el personaje, pretextando un viaje alrededor del mundo y apoyándolo en una apuesta insensata, no había asignado al mismo otra finalidad que la de despistar a los agentes de la policía inglesa.

En el que el agente Fix da muestras de una legítima impaciencia

He aquí las circunstancias en que se produjo el envío del telegrama concerniente al señor Phileas Fogg.

El miércoles, 9 de octubre, se esperaba en Suez la llegada, a las once de la mañana, del paquebote *Mongolia,* de la Compañía Peninsular y Oriental, un buque de hierro con hélice, de tres puentes, que desplazaba dos mil ochocientas toneladas y tenía una fuerza nominal de quinientos caballos. El *Mongolia* hacía regularmente la travesía de Brindisi a Bombay por el canal de Suez. Era uno de los navíos más rápidos de la Compañía. Siempre había sobrepasado las velocidades reglamentarias, establecidas en diez millas por hora entre Brindisi y Suez, y en nueve millas cincuenta y tres centésimas entre Suez y Bombay.

Esperando la llegada del *Mongolia,* dos hombres paseaban por el muelle en medio de la muchedumbre de nativos y de extranjeros que afluyen a esta ciudad, antiguamente un villorrio, a la que asegura un importante futuro la gran obra realizada por Ferdinand de Lesseps.

De esos dos hombres, uno era el agente consular del Reino Unido, establecido en Suez, quien –a pesar de los pesimistas pronósticos del gobierno británico y de las siniestras predicciones del ingeniero Stephenson– veía cada día a los barcos ingleses atravesar ese canal, que reduce a la mitad la antigua ruta de Inglaterra a la India por el cabo de Buena Esperanza. El otro era un hombrecillo delgado, de rostro bastante inteligente, nervioso, que contraía con notable persistencia sus arcos superciliares. A través de sus largas pestañas brillaba una mirada muy viva, pero cuyo resplandor sabía voluntariamente atenuar. En esos momentos, manifestaba visiblemente su impaciencia, yendo y viniendo sin parar, sin poder contenerse.

El hombre se llamaba Fix, y era uno de los detectives o agentes de policía inglesa que habían sido enviados a los distintos puertos tras el robo cometido en el Banco de Inglaterra. Fix tenía por misión vigilar atentamente a todos los viajeros que tomaran la ruta de Suez y seguir al que le pareciera sospechoso, en espera de recibir una orden de arresto.

Hacía dos días que Fix había recibido del director de la policía metropolitana las señales de identificación física del sospechoso del robo, del personaje distinguido y bien trajeado al que se había visto en la sala de pagos del Banco.

Evidentemente estimulado por la importante prima prometida en caso de éxito, el detective esperaba con impaciencia la llegada del *Mongolia*.

–¿Y dice usted, señor cónsul –le preguntaba por décima vez–, que no puede tardar ese barco?

–No, señor Fix –respondió el cónsul–. Se le vio ayer a la altura de Port-Said, y los ciento sesenta kilómetros del canal no cuentan para un barco tan rápido. Le repito que el *Mongolia* ha ganado siempre la prima de veinticinco libras que concede el gobierno por una anticipación de veinticuatro horas sobre el tiempo reglamentario.

–¿Viene directamente de Brindisi?

–Del mismo Brindisi, donde toma el correo de la India. Zarpó de Brindisi el sábado a las cinco de la tarde. Tenga paciencia, que ya no puede tardar. Me pregunto cómo va a poder reconocer a su hombre, con los datos que ha recibido, si se halla a bordo del *Mongolia*.

–Señor cónsul –respondió Fix–, a gente así se la presiente más que se la reconoce. Es asunto de olfato, y ese tipo de olfato es como un sentido especial en el que concurren el oído, la vista y la nariz. He detenido en mi vida a más de uno de esos caballeros, y si mi ladrón se halla a bordo, le aseguro que no se me escapará.

–Le deseo que así sea, señor Fix, pues se trata de un robo importante.

–¡Un robo magnífico! –respondió el agente, entusiasmado–. ¡Cincuenta y cinco mil libras! Ocasiones como ésta no se nos ofrecen a menudo. Los ladrones se están haciendo mezquinos. La raza de los Sheppard se extingue. Ahora se dejan colgar por unos chelines.

–Señor Fix, habla usted de tal forma que le deseo vivamente tenga éxito, pero, se lo repito, temo que le sea muy difícil, en las condiciones en que se halla usted. ¿Se da usted cuenta de que, según la descripción que tiene, el ladrón se parece absolutamente a un hombre honrado?

–Señor cónsul –respondió dogmáticamente el inspector de policía–, los grandes ladrones siempre se parecen a la gente honrada. Comprenderá usted que los que tienen cara de truhanes no tienen más remedio que ser honrados, pues si no se harían detener con facilidad. Son las fisonomías honradas las que hay que escrutar. Trabajo difícil, lo sé, que apela más al arte que al oficio.

Como se ve, Fix no carecía de una cierta dosis de amor propio.

El muelle se iba animando. Marineros de diversas nacionalidades, comerciantes, corredores, mozos de cuerda y *fellahs* iban afluyendo, signo evidente de la inminencia de la llegada del vapor. Hacía buen tiempo, aunque algo frío por el viento de levante. Los alminares de las mezquitas se destacaban sobre la ciudad bajo los pálidos rayos del sol. Hacia el

El inspector de policía

sur, una escollera de dos mil metros de longitud se alargaba como un brazo sobre la rada de Suez. Barcos de pesca y de cabotaje, de los que algunos conservaban el elegante diseño de la galera antigua, surcaban las aguas del mar Rojo.

Mientras paseaba en medio de la muchedumbre, Fix, por hábito profesional, escrutaba rápidamente los rostros de los transeúntes.

Eran ya las diez y media.

–Pero ¿cuándo llegará este barco? –exclamó, al oír sonar el reloj del puerto.

–Ya no puede estar lejos –respondió el cónsul.

–¿Cuánto tiempo permanecerá en Suez? –preguntó Fix.

–Cuatro horas. El tiempo necesario para surtirse de carbón. De Suez a Adén, en la extremidad del mar Rojo, hay mil trescientas diez millas y hay que hacer aquí provisión de combustible.

–Y de Suez ¿va directamente a Bombay?

–Directamente, sin escala.

–Pues bien –dijo Fix–, si el ladrón ha tomado esta ruta y este barco, debe entrar en sus planes desembarcar en Suez, a fin de alcanzar por otra vía las posesiones holandesas o francesas de Asia. Debe saber que no se hallaría en seguridad en la India, que es un territorio inglés.

–A menos que sea un hombre inteligente –respondió el cónsul–. Como usted sabe, un criminal inglés siempre se halla mejor escondido en Londres que en el extranjero.

Tras decir esto, que dio mucho que pensar al agente, el cónsul se dirigió a sus oficinas, situadas a escasa distancia de allí. Quedó solo el inspector de policía, presa de una nerviosa impaciencia y habitado por el presentimiento de que su ladrón debía hallarse a bordo del *Mongolia*. Creía, en efecto, que de haber salido el truhán de Inglaterra con la intención de ir al Nuevo Mundo, debía haber preferido la ruta de la India, menos vigilada o más difícil de vigilar que la del Atlántico.

Tras haber rechazado vigorosamente a los fellahs…

Los agudos silbidos que anunciaban la llegada del barco arrancaron a Fix de sus reflexiones. La horda de los cargadores y de los *fellahs* se precipitó hacia el muelle en medio de un tumulto inquietante para la integridad física y vestimentaria de los pasajeros.

Una decena de barcas salió al encuentro del *Mongolia*.

Pronto se vio aparecer el gigantesco casco del *Mongolia* pasando entre las orillas del canal. Daban ya las once, cuando el barco atracó en la rada, en medio del ruido causado por la exhalación del vapor a través de los tubos de escape.

Los pasajeros eran bastante numerosos a bordo. Algunos permanecieron en cubierta contemplando el pintoresco panorama de la ciudad, pero la mayor parte desembarcaron, ganando el muelle por medio de las barcas que se habían acercado al *Mongolia*.

Fix examinaba escrupulosamente a todos los que ponían pie en tierra.

En aquel momento, y tras haber rechazado vigorosamente a los *fellahs* que le asaltaban con sus ofertas de servicio, uno de ellos se acercó a Fix y le preguntó cortésmente si podía indicarle dónde estaban las oficinas del agente consular inglés. Al tiempo que eso decía, el pasajero mostraba un pasaporte sobre el que, sin duda, deseaba hacer sellar el visado británico.

Instintivamente, Fix tomó el pasaporte y lo examinó en una rápida ojeada. Un involuntario gesto de emoción estuvo a punto de traicionarle. El documento tembló en sus manos. Los datos y la descripción de señas que constaban en el pasaporte eran idénticos a los del informe que había recibido del director de la policía metropolitana.

–¿No es suyo este pasaporte? –preguntó al pasajero.

–No, es el pasaporte de mi señor.

–¿Y dónde está su señor?

–Se ha quedado a bordo.

–Pues es necesario que se presente en persona en las oficinas del consulado a fin de establecer su identidad.

–¿Cómo? ¿Es eso necesario?

–Indispensable.

–¿Y dónde están las oficinas?

–Allí, en aquella esquina de la plaza –respondió el inspector, indicando una casa situada a unos doscientos pasos.

–Entonces voy a buscar a mi señor, a quien no va a gustar precisamente tener que molestarse.

El pasajero saludó a Fix y retornó a bordo.

Capítulo 7

Que prueba una vez más la inutilidad de los pasaportes en materia de policía

El inspector volvió al muelle y se dirigió rápidamente a las oficinas consulares. Su urgente solicitud de ser recibido por el cónsul fue inmediatamente atendida.

–Señor cónsul –le dijo sin más preámbulo–, tengo serias razones para sospechar que nuestro hombre se halla a bordo del *Mongolia*.

Y Fix contó lo ocurrido entre el doméstico y él con respecto al pasaporte.

–Bien, señor Fix –respondió el cónsul–, me gustaría verle la cara a ese bribón. Pero no creo que se presente aquí, si es lo que usted supone. Los ladrones no acostumbran a dejar huellas de su paso, y además la formalidad de los pasaportes no es ya obligatoria.

–Señor cónsul –respondió el agente–, si es un hombre inteligente, como cabe esperar, vendrá.

–¿Para hacer visar su pasaporte?

–Sí. Los pasaportes sólo sirven para embarazar a la gente honrada y para favorecer la huida de los delincuentes. Estoy seguro de que lo lleva en regla, pero espero que no se lo vise usted.

–¿Y por qué no? Si el pasaporte está en regla no puedo rehusarle el visado.

–Pero, señor cónsul, es necesario que yo retenga a ese hombre aquí hasta que reciba de Londres un mandato de arresto.

–Señor Fix, eso es asunto suyo. Yo no puedo...

El cónsul no acabó la frase. En aquel mismo momento llamaron a la puerta de su despacho y un empleado introdujo a dos hombres, uno de los cuales era el que había conversado con el detective.

Eran, en efecto, amo y sirviente. El primero presentó su pasaporte, rogando lacónicamente al cónsul que se lo visara. Éste tomó el pasaporte y lo leyó atentamente, mientras Fix, en un rincón de la sala, observaba o más bien devoraba con los ojos al viajero.

–¿Es usted Phileas Fogg? –preguntó el cónsul cuando hubo acabado el examen del pasaporte.

–Sí, señor.

–¿Y este hombre es su doméstico?

–Sí. Es francés y se llama Passepartout.

–¿Vienen ustedes de Londres?

–Sí.

–¿Y adónde se dirigen?

–A Bombay.

–Bien, señor ¿Sabía usted que es inútil esta formalidad del visado? ¿Que ya no exigimos la presentación del pasaporte?

–Lo sé, señor –respondió Phileas Fogg–, pero deseo que su visado deje constancia de mi paso por Suez.

–Como usted quiera.

Y el cónsul, tras firmar y fechar el pasaporte, lo selló. Fogg pagó los derechos del visado y, tras saludar fríamente, salió, seguido de Passepartout.

–¿Qué le parece? –preguntó el inspector.

–Me parece que tiene el aire de un hombre honrado a carta cabal.

–Posiblemente –respondió Fix–, pero no se trata de eso. ¿No le parece, señor cónsul, que este flemático caballero coincide en todos sus rasgos con los del retrato que se me ha hecho del ladrón?

–Convengo en ello, pero, como usted sabe, esos retratos...

–Sabré pronto a qué atenerme –dijo Fix–. El sirviente parece ser menos indescifrable que su señor. Además, como es francés, hablará. Hasta pronto, señor cónsul.

Dicho esto, el agente salió y se puso en busca de Passepartout.

Entretanto, Fogg se había dirigido al muelle. Allí había dado algunas órdenes a Passepartout, antes de embarcar en una canoa para volver a bordo del *Mongolia.* Ya en su camarote, tomó su cuaderno de notas, en el que figuraban las siguientes:

«Salida de Londres el miércoles 2 de octubre, a las 8,45 de la tarde.

Llegada a París el jueves 3 de octubre, a las siete y veinte de la mañana.

Salida de París el jueves a las 8,40 de la mañana.

Llegada a Turín, por el Monte Cenis, el viernes 4 de octubre, a las 6,35 de la mañana.

Salida de Turín el viernes, a las 7,20 de la mañana.

Llegada a Brindisi el sábado 5 de octubre, a las cuatro de la tarde.

Embarcado en el *Mongolia,* sábado, a las cinco de la tarde.

Llegada a Suez el miércoles 9 de octubre, a las once de la mañana.

Total horas invertidas: 158,30; es decir, seis días y medio.»

Fogg había inscrito estas fechas sobre un itinerario dispuesto por columnas que indicaba –desde el 2 de octubre hasta el 21 de diciembre– el mes, el día, las llegadas reglamentarias y las efectivas en cada punto principal: París, Brindisi, Suez, Bombay, Calcuta, Singapur, Hong-Kong, Yokohama, San Francisco, Nueva York, Liverpool y Londres, y que permitía consignar los avances y retrasos obtenidos en cada lugar del recorrido.

Este metódico sistema, que tenía en cuenta todas las posibles incidencias, permitía a Phileas Fogg saber en todo momento si iba adelantado o retrasado sobre su programa.

Inscribió, pues, aquel día, 9 de octubre, miércoles, su llegada a Suez, que por coincidir con el horario previsto no le daba ni pérdida ni ganancias. Hecho esto, se hizo servir el almuerzo en su camarote. La idea de visitar la ciudad ni tan siquiera había asomado a su mente, pues pertenecía a esa raza de ingleses que delegan en sus domésticos la visita de los países que atraviesan.

Capítulo 8
En el que Passepartout habla algo más de lo conveniente

No tardó Fix en reunirse con Passepartout, quien paseaba por el muelle mirándolo todo con gran curiosidad por no creerse él dispensado de hacerlo.

–Hola, amigo mío –le abordó Fix–. ¿Ya le han visado el pasaporte?

–¡Ah, es usted! –respondió el francés–. Sí, gracias, estamos en regla.

–Veo que le interesa el país.

–Sí, pero vamos con tanta prisa que me parece estar viajando en sueños. Así que ¿estamos en Suez?

–En Suez.

–¿En Egipto?

–Sí, en Egipto.

–¿Y en África?

–En África.

–¡En África! –repitió Passepartout–. No puedo creerlo. Figúrese usted que yo creía no ir más allá de París y que apenas pude ver esa magnífica ciudad entre las siete y veinte y las ocho cuarenta de la mañana, desde la estación del Norte a la de Lyon, a través de los cristales de un coche de caballos y de una cortina de lluvia. Lo siento, pues me hubiera gustado

–¿Atrasado mi reloj? ¡Un reloj de familia…!

mucho volver a ver el Père Lachaise y el Circo de los Campos Elíseos.

–¿Tanta prisa lleva usted? –preguntó el inspector de policía.

–Yo, no; pero mi señor, sí. A propósito, tengo que comprar calcetines y camisas, pues salimos de viaje sin más equipaje que un bolso.

–Voy a llevarle a un bazar en el que encontrará todo cuanto necesite.

–Debo procurar no perder el barco.

–Tiene usted tiempo suficiente; no son más que las doce.

–¿Las doce? ¡Vamos, hombre! Son las nueve y cincuenta y dos minutos.

–Su reloj va atrasado –respondió Fix.

–¿Atrasado mi reloj? ¡Un reloj de familia que he heredado de mi bisabuelo! No varía ni cinco minutos al año, es un verdadero cronómetro.

–Ya sé lo que pasa –dijo Fix–. Ha conservado usted la hora de Londres. Y Londres tiene un retraso horario sobre Suez de dos horas. Tendrá usted que ajustar su reloj a la hora de cada país.

–¿Ajustar yo mi reloj? –exclamó Passepartout–. ¡Jamás!

–En ese caso, su reloj no estará de acuerdo con el Sol.

–¡Peor para el Sol entonces! Suyo será el error, y no de mi reloj.

Y el joven se metió el reloj en el bolsillo de su chaleco, con un soberbio gesto de orgullo.

Poco después, Fix le decía:

–Así que salieron de Londres precipitadamente.

–En efecto. El miércoles, a las ocho de la tarde, el señor Fogg, contra todas sus costumbres, regresó de su club, y tres cuartos de hora después no hallábamos ya de viaje.

–Pero ¿adónde va?

–Siempre hacia adelante. Está dando la vuelta al mundo.

–¿La vuelta al mundo? –preguntó, sorprendido, Fix.

–Sí, y en ochenta días. Él dice que es una apuesta, pero, entre nosotros, yo no lo creo. Es demasiado insensato. Debe haber otra razón.

–¡Ah! Debe ser un hombre muy original el señor Fogg, ¿no?

–¡Ya lo creo!

–¿Es, pues, rico?

–Evidentemente. Va con una bonita suma, en billetes de banco nuevos y crujientes. Y no puede decirse que vaya escatimando el dinero. Mire, ha prometido una magnífica prima al jefe de máquinas del *Mongolia* si llegamos a Bombay con un buen adelanto sobre el horario.

–¿Hace mucho que conoce usted al señor Fogg?

–¡Oh!, justamente entré a su servicio en el mismo día de nuestra partida.

Fácil es imaginar el efecto producido por estas respuestas en el ánimo ya sobreexcitado del inspector de policía.

Esa precipitada partida de Londres con esa fuerte suma, poco después de que se perpetrara el robo; esa prisa por llegar a países lejanos; ese pretexto de tan excéntrica apuesta, eran datos que no podían sino confirmar las sospechas de Fix. Éste continuó haciendo hablar al francés hasta adquirir la certidumbre de que el muchacho no conocía realmente a Fogg. Supo que éste vivía aislado en Londres, que se le tenía por rico sin saber el origen de su fortuna, que era un hombre impenetrable, etc. Pudo también cerciorarse de que Phileas Fogg no desembarcaría en Suez y que se dirigía realmente a Bombay.

–¿Está lejos Bombay? –preguntó Passepartout.

–Bastante lejos. Tienen por delante una travesía de una decena de días.

–¿Y por dónde cae Bombay?

–En la India.

–¿En Asia?

–En efecto.

–¡Caramba! Es que hay algo que... se lo diré a usted... Hay algo que me tiene preocupado... Mi mechero.

–¿Qué mechero?

–El mechero de gas, que olvidé apagar y que está ardiendo por mi cuenta. Según mis cálculos, me va a costar dos chelines diarios, seis peniques más de lo que gano, y comprenderá usted que por poco que se prolongue el viaje...

Es poco probable que Fix comprendiera el problema del gas, pues no había escuchado, abstraído como estaba en la consideración de la resolución que había decidido tomar.

Una vez llegados al bazar, Fix dejó a su compañero ocupado en sus compras, tras haberle recomendado que cuidara de no perder el *Mongolia,* y volvió a toda prisa a la oficina del agente consular.

Adquirida ya su convicción, Fix había recuperado toda su sangre fría.

–Señor cónsul, no me cabe ya la menor duda. Éste es mi hombre. Se hace pasar por un excéntrico que intenta dar la vuelta al mundo en ochenta días.

–Es un hombre ingenioso –replicó el cónsul–. Seguro que espera volver a Londres, tras haber despistado a todas las policías de los dos continentes.

–Eso ya lo veremos.

–Pero ¿está seguro de no equivocarse?

–Lo estoy.

–Entonces, ¿por qué ha insistido el ladrón en dejar constancia de su paso por Suez con el visado?

–¿Por qué?... No lo sé, señor cónsul, pero escúcheme.

Y en pocas palabras el detective narró al cónsul los datos obtenidos de su conversación con Passepartout.

–En efecto, –admitió el cónsul–, todos los indicios acusan a ese hombre. ¿Qué piensa usted hacer?

–Enviar un telegrama a Londres en solicitud de que me cursen a Bombay una orden de arresto, embarcarme en el *Mongolia,* perseguir a mi ladrón hasta la India, y allí, en territorio inglés, abordarle cortésmente, y con la orden de arresto en mi poder echarle mano –dijo fríamente el agente, quien se despidió del cónsul y se dirigió a la oficina de Telégrafos. Allí expidió al director de la Policía metropolitana el telegrama que nos es ya conocido.

Un cuarto de hora más tarde, Fix, con un ligero equipaje y bien provisto de dinero, subió a bordo del *Mongolia,* que, poco después, surcaba a toda máquina las aguas de mar Rojo.

Capítulo 9
Donde el mar Rojo y el océano Índico se muestran propicios a los designios de Phileas Fogg

La distancia entre Suez y Adén es exactamente de mil trescientas diez millas, y la Compañía asigna a sus barcos un lapso de tiempo de ciento treinta y ocho horas para recorrerla.

Con sus calderas a todo vapor, el *Mongolia* navegaba a una velocidad suficiente para reducir el horario reglamentario.

La mayor parte de los embarcados en Brindisi tenían la India por destino. Unos iban a Bombay y otros a Calcuta, vía Bombay, pues desde que el ferrocarril atraviesa en toda su anchura la península indostánica no es necesario costear la punta de Ceilán.

Entre los pasajeros del *Mongolia* había numerosos funcionarios civiles y oficiales de toda graduación. Entre éstos, unos pertenecían al ejército británico propiamente dicho y otros se hallaban al mando de los cipayos, tropas indígenas. Todos estaban muy bien pagados, pese a que el Gobierno hubiera asumido ya la administración y explotación de la antigua Compañía de Indias. Así, el sueldo de un subteniente se elevaba a 7.000 francos, el de un brigadier a 60.000 y el de un general a 100.000 [1].

1. Los sueldos de los funcionarios civiles son aún más elevados. Los adjuntos, situados en el primer grado de la jerarquía, ganan 12.000 fran-

Se vivía, pues, muy bien a bordo del *Mongolia,* entre aquella sociedad de funcionarios a la que se mezclaban algunos jóvenes ingleses que, bien provistos de fondos, iban a crear establecimientos comerciales. El *purser,* el hombre de confianza de la Compañía situado por ella en pie de igualdad con el capitán, no escatimaba lo más mínimo. Tanto en el desayuno como en el almuerzo, merienda y cena, las mesas se hallaban recargadas de platos de carne fresca y de entremeses suministrados por la carnicería y las despensas del barco. Las pasajeras –algunas había– se cambiaban de vestido dos veces al día. Había música y se bailaba cuando el mar lo permitía.

Pero, como todos los golfos largos y estrechos, el mar Rojo es muy caprichoso y a menudo violento. Cuando soplaba el viento, ya fuera de la costa asiática o de la africana, el *Mongolia,* azotado lateralmente en su casco fusiforme, se balanceaba espantosamente. Desaparecían entonces las damas de cubierta, enmudecían los pianos y cesaban a la vez los cantos y las danzas. Pese a las ráfagas de viento y la violencia del oleaje, el barco, impelido por su poderosa maquinaria, navegaba rápidamente hacia el estrecho de Bab-el-Mandeb.

¿Qué hacía mientras tanto Phileas Fogg? Podría creerse que ansioso, inquieto, se preocupaba por los cambios de viento contrarios a la marcha del barco, por lo desordenados movimientos del oleaje que podían originar una avería en las máquinas, por todos los accidentes posibles que, al obligar al *Mongolia* a recalar en algún puerto, pudieran comprometer su programa de viaje.

Nada de eso, o, al menos, si pensaba en tales eventualidades, no lo manifestaba en lo más mínimo. Continuaba siendo el hombre impasible, el miembro imperturbable del Re-

---

cos; los jueces, 60.000; los presidentes de tribunales, 250.000; los gobernadores, 300.000, y el gobernador general, más de 600.000. (*Nota del Autor.*)

form-Club, al que ningún accidente o incidente podía sorprender. No parecía hallarse más emocionado que los relojes de a bordo.

Se le veía raramente en cubierta. No parecía atraerle la observación del mar Rojo, tan fecundo en recuerdos y teatro de las primeras escenas históricas de la humanidad, ni la de las curiosas ciudades desperdigadas por sus orillas que, de vez en cuando, recortaban sus siluetas en el horizonte. No pensaba en los peligros del golfo arábigo, de los que los antiguos historiadores, Estrabón, Arriano, Artemidoro y Edrisi hablaron con espanto, y en el que los navegantes no se aventuraron nunca en otros tiempos sin antes haber consagrado sus viajes mediante sacrificios propiciatorios.

¿Qué hacía, pues, ese hombre singular, encerrado en el *Mongolia?* Comer –no perdonaba ni una de sus cuatro comidas diarias, sin que en ningún momento el cabeceo consiguiera alterar una máquina tan maravillosamente organizada– y jugar al *whist.*

Había encontrado compañeros tan empedernidos jugadores como él: un recaudador de contribuciones que volvía a Goa; un pastor, el reverendo Decimus Smith, que regresaba a Bombay, y un brigadier del Ejército inglés que iba a reincorporarse a su puesto en Benarés. Estos tres pasajeros tenían por el *whist* la misma pasión que Phileas Fogg, y jugaban durante horas enteras no menos silenciosamente que él.

En Passepartout no hacía presa el mareo. Instalado en un camarote de proa, comía él también concienzudamente y sacaba el mejor partido de un viaje que, en esas condiciones, no le resultaba desagradable. Bien alimentado y alojado, iba viendo mundo y se hallaba persuadido de que esa fantasía terminaría en Bombay.

Al día siguiente de la partida de Suez, el 10 de octubre, le sorprendió agradablemente hallar en cubierta al amable personaje a quien se había dirigido al desembarcar en Egipto.

–Si no me engaño –le dijo, abordándole con su mejor sonrisa–, es usted quien tan amablemente me sirvió de guía en Suez.

–En efecto –respondió el detective–, le reconozco. Usted es el ayuda de cámara de ese inglés tan original.

–Así es, señor...

–Fix.

–Encantado de encontrarle a bordo, señor Fix. ¿A dónde va usted?

–Como ustedes, a Bombay.

–¡Magnífico! ¿Ha hecho ya alguna vez esta travesía?

–Varias veces. Soy agente de la Compañía Peninsular.

–Entonces, conocerá usted bien la India.

–Pues... sí... –respondió Fix, que no quería mostrarse demasiado explícito.

–¿Es interesante la India?

–Muy interesante. Hay mezquitas, alminares, templos, faquires, pagodas, tigres, serpientes, bayaderas... Esperemos que tenga usted tiempo de visitar el país.

–Espero que sí, señor Fix. Comprenderá usted que no es posible que un hombre sensato se pase la vida saltando de un barco a un tren y de un tren a un barco, con el pretexto de dar la vuelta al mundo en ochenta días. No. Toda esta gimnasia acabará en Bombay, ya lo verá.

–¿Y cómo está el señor Fogg? –preguntó Fix, con el tono de voz más natural.

–Muy bien, señor Fix. Igual que yo. Como más que un ogro en ayunas. Debe ser el aire marino.

–No veo nunca al señor Fogg en cubierta.

–Nunca. No es muy curioso que digamos.

–¿Ha pensado usted, señor Passepartout, que este supuesto viaje en ochenta días podría tal vez ocultar una misión secreta... por ejemplo, una misión diplomática?

–Le confieso, señor Fix, que no sé nada, y, en el fondo, no daría ni media corona por saberlo.

Hacía escala en Steamer-Point

A partir de entonces, Passepartout y Fix se encontraron a menudo. El inspector de policía, convencido de que podía serle útil, deseaba tener buenas relaciones con el doméstico de Phileas Fogg. Le invitó a menudo en el bar del *Mongolia* a beber unos whiskies o *pale-ale*, que el buen muchacho aceptaba sin remilgos, y a los que correspondía con sus invitaciones, por no ser menos y por parecerle el tal Fix un caballero.

El barco avanzaba rápidamente. El día 13 avistaron la ciudad de Moka, rodeada de murallas en ruinas, por encima de las cuales se destacaban verdes palmeras. A lo lejos, en las montañas, se extendían vastos campos de cafetales. A Passepartout le encantó contemplar la célebre ciudad, que, con sus murallas circulares y un fuerte desmantelado que se dibujaba como un asa, le pareció tener el aspecto de una enorme taza.

Durante la noche siguiente, el *Mongolia* atravesó el estrecho de Bab-el-Mandeb, nombre árabe que significa «Puerta de las Lágrimas», y al otro día, el 14, hacía escala en Steamer-Point, al noroeste de la rada de Adén, donde debía reaprovisionarse de combustible.

No es asunto de poca monta éste de la alimentación en combustible de los barcos a tan grandes distancias de los centros de producción. Este solo capítulo significa para la Compañía Peninsular un gasto anual que se cifra en ochocientas mil libras. Ha habido que establecer depósitos en varios puertos, y en estos lejanos parajes el carbón cuesta ochenta francos la tonelada.

Al *Mongolia* le quedaban aún mil seiscientas millas de navegación para llegar a Bombay, y debía permanecer cuatro horas en Steamer-Point para surtirse de carbón.

Pero este retraso no afectaba a nada al programa de Phileas Fogg, ya que estaba previsto. Además, el *Mongolia* había llegado a Adén con quince horas de adelanto, pues en vez de atracar el 15 de octubre por la mañana, lo había hecho el 14 por la noche.

Fogg y Passepartout desembarcaron, por desear el primero hacer visar su pasaporte. Fix los siguió sin que se dieran cuenta. Cumplida la formalidad del visado, Phileas Fogg regresó a bordo para reanudar su interrumpida partida, mientras Passepartout, según su costumbre, erraba por las calles en medio de la heterogénea muchedumbre de somalíes, banianos, parsis, judíos, árabes y europeos, que, en número de veinticinco mil habitantes, componen la población de Adén. Pudo admirar las fortificaciones que hacen de esa ciudad el Gibraltar del Índico, y las magníficas cisternas en las que trabajan aún los ingenieros ingleses, dos mil años después que los ingenieros del rey Salomón.

«¡Qué curioso es todo esto!» –se decía Passepartout, al volver a bordo–. Hay que viajar para ver cosas nuevas.»

A las seis de la tarde, el *Mongolia* batía nuevamente las aguas de la rada de Adén con su hélice, y poco después surcaba el Índico. Ciento sesenta y ocho horas le estaban asignadas para realizar la travesía entre Adén y Bombay. El estado del mar le era favorable, con un viento noroeste que permitió a las velas ayudar a las máquinas de vapor. Mejor sustentado, el barco cabeceaba menos. Las pasajeras, con vestidos ligeros, reaparecieron en cubierta y recomenzaron los cantos y los bailes.

La travesía se efectuó así en las mejores condiciones. Passepartout estaba encantado del amable compañero que el azar le había procurado en la persona de Fix.

Hacia el mediodía del domingo, 20 de octubre, se avistó la costa indostánica. Dos horas más tarde, el práctico subía a bordo del *Mongolia.* Al fondo del horizonte las colinas se perfilaban armoniosamente.

No tardó en verse las filas de palmeras que adornan la ciudad. El barco entró en la rada formada por las islas Salzette, Colaba, Elefanta y Butcher, y a las cuatro y media atracaba en los muelles de Bombay. Phileas Fogg terminaba entonces la trigesimotercera partida del día, y su compañero y él, gracias a una audaz maniobra, habían culminado la magnífica travesía con una espléndida victoria triplicada.

El *Mongolia* tenía prevista su llegada a Bombay el 22 de octubre, y había llegado el 20. Desde su partida de Londres, Phileas Fogg había ganado, pues, dos días, que fueron inscritos metódicamente en su cuaderno, en la columna de beneficios.

Capítulo 10

En el que Passepartout se da por satisfecho con salir indemne, sin más pérdida que la de sus zapatos

Nadie ignora que la India –ese gran triángulo invertido cuya base está al norte y el vértice al sur– tiene una superficie de un millón cuatrocientas mil millas cuadradas, sobre la que se asienta desigualmente una población de ciento ochenta millones de habitantes. El Gobierno británico ejerce un dominio real sobre una buena parte de ese inmenso país, con un gobernador general en Calcuta, gobernadores en Madrás, en Bombay y en Bengala y un vicegobernador en Agra. Pero la superficie de la India inglesa propiamente dicha no excede de setecientas mil millas cuadradas, y su población, de cien a ciento diez millones de habitantes, lo que indica que una notable parte del territorio escapa aún a la autoridad de la reina. En efecto, en los territorios de algunos rajás del interior, feroces, terribles, la independencia de éstos es todavía absoluta.

Desde 1756 –año en que se fundó el primer establecimiento inglés en el actual emplazamiento de la ciudad de Madrás– hasta el año en que estalló la gran insurrección de los cipayos, la célebre Compañía de las Indias fue todopoderosa. Poco a poco fue anexionándose provincia tras provincia, mediante su compra a los rajás a bajo precio, que a veces ni tan siquiera pagaba, y sometiéndolas a su propia administración con su gobernador general y sus funcionarios civiles y militares. Pero actualmente la Compañía ya no existe y las posesiones inglesas de la India dependen directamente de la Corona.

El aspecto, los usos y costumbres y las divisiones etnográficas de la península van modificándose progresivamente. Antes se viajaba por ella utilizando todos los antiguos medios de transporte: a pie, a caballo, en carretilla, en litera, en coche de caballos o a espaldas de hombre, etc. Ahora, en cambio, los barcos de vapor surcan rápidamente el Indo y el Ganges, y un ferrocarril que atraviesa la India en toda su anchura, con ramificaciones a lo largo de su recorrido, pone a Bombay a tres días solamente de Calcuta.

El trazado de este ferrocarril no sigue la línea recta a través de la India. La distancia entre sus puntos terminales a vuelo de pájaro no es más que de mil a mil cien millas, que, para ser recorrida, no exigirá tres días a un tren animado de una velocidad media. Pero esa distancia se ve aumentada al menos en un tercio por la curva que describe el ferrocarril al elevarse hasta Allahabad, al norte de la península. A grandes rasgos, el trazado del *Great Indian peninsular railway* es el siguiente: partiendo de la isla de Bombay atraviesa Salcete y salta al continente frente a Tannah, atraviesa la cordillera de los Gates occidentales, corre por el nordeste hasta Burhampur, cruza el territorio casi independiente de Bundelkund, se eleva hasta Allahabad, se desvía hacia el este para encontrar al Ganges en Benarés, se inclina ligeramente descendiendo hacia el sudeste por Burdivan y la ciudad francesa de Chandernagor y acaba su recorrido en Calcuta.

Los pasajeros del *Mongolia* habían desembarcado en Bombay a las cuatro y media de la tarde, y el tren de Calcuta partía a las ocho en punto. Phileas Fogg se despidió de sus compañeros de juego, desembarcó, dio a Passepartout la orden de efectuar algunas compras, recomendándole que es-

Dio a Passepartout la orden de efectuar algunas compras

tuviera antes de las ocho en la estación, y al paso regular y preciso que era el suyo, como el movimiento del péndulo de un reloj astronómico, se dirigió a la oficina de pasaportes.

Así, pues, no pensaba ver nada de las maravillas de Bombay, ni el Ayuntamiento, ni la magnífica biblioteca, ni los fuertes, ni los muelles, ni el mercado del algodón, ni los bazares, ni las mezquitas, ni las sinagogas, ni las iglesias armenias, ni la espléndida pagoda de Malebar-Hill, adornada con dos torres poligonales, ni las obras maestras de Elefanta, ni sus misteriosos hipogeos, ocultos al sudeste de la rada, ni las grutas Kanheria de la isla Salcete, esos admirables vestigios de la arquitectura budista. No, nada.

Al salir de la oficina de pasaportes, Phileas Fogg se encaminó tranquilamente a la estación, donde se hizo servir la cena. Entre otros platos, el camarero creyó deber recomendarle un conejo en salsa «del país», del que le hizo los mayores elogios. Phileas Fogg aceptó la sugerencia y degustó concienzudamente el plato que, pese a la fuerte salsa, le pareció detestable. Llamó al camarero y, mirándole fijamente, le dijo:

–Oiga, ¿esto es conejo?

–Sí, *milord* –respondió descaradamente el camarero–. Conejo de la jungla.

–¿No maulló este conejo cuando le mataron?

–¡Maullar! ¡Oh, *milord,* un conejo! Le juro...

–Mire –dijo fríamente Fogg–, no jure y recuerde que antiguamente, en la India, los gatos eran considerados animales sagrados. Eran los buenos tiempos.

–¿Para los gatos, *milord*?

–Y para los viajeros también.

Hecha esta observación, el señor Fogg continuó cenando tranquilamente.

El agente Fix había desembarcado unos instantes después que Fogg y se había encaminado inmediatamente a la Jefatura de Policía de Bombay. Tras identificarse y dar a conocer su misión y la situación en que se hallaba ante el presunto autor del robo, preguntó si se había recibido una orden de arresto. La respuesta fue negativa. No se había recibido nada. Y, en efecto, la orden, expedida tras la partida de Fogg, no podía haber llegado aún.

Fix se quedó desconcertado. Quiso obtener del jefe de policía una orden de arresto contra el señor Fogg. El jefe de policía rehusó. El caso competía a la administración metropolitana, y sólo ésta podía legalmente expedir la orden. Esta severidad de principios, esta observancia rigurosa de la legalidad está inscrita en las costumbres inglesas, que, en materia de libertades individuales, no admiten la arbitrariedad.

Fix no insistió, comprendiendo que debía resignarse a esperar la orden. Pero decidió no perder de vista al impenetrable ladrón durante todo el tiempo que éste permaneciera en Bombay. Pues no dudaba, compartiendo la convicción de Passepartout, que Phileas Fogg permanecería en Bombay y ello le hacía esperar que tenía tiempo para recibir el mandato.

Sin embargo, las últimas órdenes que le había dado Phileas Fogg al desembarcar del *Mongolia* había hecho comprender a Passepartout que en Bombay ocurriría lo mismo que en París y en Suez, que el viaje no terminaría allí y que continuaría al menos hasta Calcuta, si no más lejos aún. Y comenzaba a preguntarse si la apuesta de Fogg no sería realmente algo muy serio y si la fatalidad no le estaría llevando, a él, que quería vivir tranquilamente, a dar la vuelta al mundo en ochenta días.

Mientras tanto, y tras haber comprado unas cuantas camisas y unos cuantos calcetines, se paseaba por las calles de Bombay, en medio de una gran muchedumbre formada por europeos de todas las nacionalidades, por persas tocados con gorros puntiagudos, por bunyas con turbantes redondos, por sindos con bonetes cuadrados, por armenios en largas túnicas y por parsis tocados con mitras negras. Tan gran

Derribó a dos de sus adversarios

concurrencia se debía precisamente a una fiesta celebrada por estos parsis o guebros, directos descendientes de los seguidores de Zoroastro, que son los más industriosos, civilizados, inteligentes y austeros entre los hindúes, raza a la que pertenecen actualmente los ricos negociantes indígenas de Bombay. Celebraban aquel día una especie de carnaval religioso, con procesiones y atracciones, entre las que figuraban las bayaderas vestidas con túnicas de gasa rosa racamadas en oro y plata, y que al son de las violas y de los tambores bailaban maravillosamente y con la mayor decencia.

Fascinado por tan curiosas ceremonias, Passepartout, los ojos y los oídos desmesuradamente abiertos, las contemplaba con una fisonomía a la que el asombro daba un aire de bobaliconería. Desgraciadamente para él y para Phileas Fogg, cuyo viaje iba a poner en peligro, su curiosidad le llevó más lejos de lo conveniente. En efecto, después de presenciar el carnaval parsi, se dirigía a la estación cuando, al pasar ante la admirable pagoda de Malebar-Hill, tuvo la inoportuna idea de visitar su interior.

Passepartout ignoraba dos cosas: que está formalmente prohibida la entrada en las pagodas hindúes a los cristianos y que los propios creyentes no pueden entrar en ellas sin haber dejado sus zapatos a la puerta. El Gobierno inglés, en una inteligente política, respeta y hace respetar hasta en sus más insignificantes detalles la religión del país, y por ello castiga severamente a quien viole sus prácticas.

Habiendo entrado inocentemente, como un simple turista, se hallaba admirando los deslumbradores oropeles de la ornamentación brahmánica cuando, súbitamente, fue derribado sobre las losas sagradas. Tres sacerdotes enfurecidos se habían precipitado sobre él y al tiempo que le quitaban los zapatos y calcetines, le golpeaban, profiriendo grandes gritos. Agil y vigoroso, el francés consiguió ponerse en pie. De un puñetazo y de una patada derribó a dos de sus adversarios, cuyas largas túnicas entorpecían sus movimientos, y huyó de la pagoda a toda velocidad, consiguiendo distanciar muy pronto al tercer brahmán, que le perseguía a la vez que amotinaba a la muchedumbre.

A las ocho menos cinco, a unos minutos tan sólo de la salida del tren, sin sombrero, sin zapatos y sin los paquetes de sus compras, perdidos en la pelea, Passepartout llegaba a la estación.

Allí estaba Fix, en el andén. Habiendo seguido a Fogg a la estación, comprendió que su perseguido se disponía a partir de Bombay, y tomó la resolución de acompañarle hasta Calcuta, o más allá si era necesario.

Passepartout no pudo ver a Fix, que se guarecía en la sombra, pero Fix pudo oír el relato de sus aventuras.

–Espero que no vuelva a ocurrirle una cosa así –respondió simplemente Phileas Fogg, mientras subía a uno de los vagones del tren.

El pobre muchacho, descalzo y avergonzado, le siguió sin decir palabra.

Fix iba a subir a otro vagón, cuando le retuvo una idea que modificó súbitamente su proyecto de partida.

«No, me quedo –se dijo–. Un delito cometido en territorio hindú... Tengo a mi hombre.»

En aquel momento, la locomotora lanzó un estridente silbido, y el tren desapareció en la noche.

Capítulo II
En el que Phileas Fogg compra una montura a un precio fabuloso

El tren había salido a la hora reglamentaria, con un buen número de viajeros, entre los que figuraban algunos oficiales, funcionarios civiles y negociantes en opio y añil, a los que su comercio llamaba a la parte oriental de la península.

Passepartout ocupaba el mismo compartimento que Fogg. Un tercer viajero se había instalado en el rincón opuesto. Era sir Francis Cromarty, uno de los compañeros de juego de Fogg durante la travesía de Suez a Bombay, que iba a reunirse con sus tropas acantonadas en las proximidades de Benarés.

Sir Francis Cromarty, alto, rubio, de unos cincuenta años de edad, que se había distinguido mucho durante la última insurrección de los cipayos, hubiera podido merecer la calificación de indígena. Residía en la India desde su más temprana juventud y sólo había hecho algunas contadas apariciones en su país natal. Era un hombre instruido que habría podido dar la más amplia y profunda información sobre las costumbres, la historia y la organización de la India, si Phileas Fogg hubiera sido hombre capaz de interesarse por esas cuestiones. Pero el original caballero no preguntaba nada. No viajaba, describía una circunferencia. Era un cuerpo en gravitación recorriendo una órbita en torno al globo terráqueo, siguiendo las leyes de la mecánica racional.

En aquel momento, Phileas Fogg se hallaba calculando mentalmente las horas invertidas en su viaje desde su partida de Londres, y sus cálculos le hubieran permitido frotarse las manos de satisfacción si su naturaleza no le prohibiera todo gesto inútil.

Sir Francis Cromarty no había podido dejar de reconocer la originalidad de su compañero de ruta, pese a que tan sólo hubiera podido estudiarlo con los naipes en la mano y entre partida y partida. Sus observaciones le llevaban a preguntarse si bajo tan fría envoltura latía un corazón humano, si Phileas Fogg tenía un alma sensible a las bellezas de la naturaleza y a las aspiraciones morales. La cuestión le intrigaba. De todos los tipos originales que le había sido dado conocer al oficial a lo largo de su vida, ninguno podía compararse a ese producto de las ciencias exactas.

Phileas Fogg no había ocultado a Sir Francis Cromarty su proyecto de viaje alrededor del mundo ni las condiciones en que lo efectuaba. El brigadier no vio en esa apuesta otra cosa que una excentricidad sin utilidad alguna, a la que faltaba necesariamente el *transire benefaciendo* que debe guiar a todo hombre razonable. Al paso que iba, el extravagante *gentleman* culminaría su proyecto sin «hacer nada» ni para sí mismo ni para los demás.

Una hora después de haber salido de Bombay, el tren había abandonado ya la isla Salcete, tras franquear los viaductos, y corría ya por el continente. En la estación de Callyan dejó a su derecha el ramal que por Kandallah y Punah desciende hacia el sudeste de la India. Tras pasar por Pauwell, se internó por las ramificaciones de las Gates occidentales, cordillera de montañas basálticas cuyas más altas cumbres se hallan cubiertas de bosques frondosos.

De vez en cuando, sir Francis Cromarty y Phileas Fogg intercambiaban algunas palabras. En un momento en que languidecía la conversación, el brigadier dijo:

–Hace algunos años, señor Fogg, hubiera sufrido usted aquí un retraso que habría comprometido probablemente su itinerario.

–¿Por qué, sir Francis?

–Porque el ferrocarril se detenía en la base de estas montañas, que había que atravesar en palanquín o a caballo hasta la estación de Kandallah, situada en la vertiente opuesta.

–Ese retraso –respondió Fogg– no hubiese afectado a mi programa, que prevé la eventualidad de cualquier obstáculo.

–¿Sabe usted, señor Fogg, que ha estado a punto de verse envuelto en una difícil situación con la aventura de este muchacho?

Passepartout, los pies envueltos en su manta de viaje, dormía profundamente, ajeno a ser motivo de conversación.

–El Gobierno inglés es extremadamente severo, y con razón, en este género de delitos –decía sir Francis–, empeñado como está en que se respeten las costumbres religiosas de los hindúes, y si su doméstico hubiese sido detenido...

–Pues bien, sir Francis; si hubiese sido detenido –respondió Fogg– habría expiado su pena y regresado luego tranquilamente a Europa. No veo en qué hubiera podido afectarme eso.

La conversación decayó nuevamente.

Durante la noche, el tren dejó atrás los Gates y pasó por Nassik. Al día siguiente, 21 de octubre, cruzaba el país relativamente llano formado por el territorio del Jandeish. Los campos, bien cultivados, estaban sembrados de aldeas en las que el alminar de la pagoda reemplazaba al campanario de la iglesia europea. Numerosos riachuelos, en su mayor parte afluentes o subafluentes del Godavary, irrigaban la fértil comarca.

El vapor se enroscaba en espirales

Despierto, Passepartout miraba sin poder creer que se hallase atravesando la India en un tren del *Great peninsular railway*. Le parecía increíble, por real que fuera.

La locomotora, conducida por un maquinista inglés y propulsada por carbón inglés, expelía el humo sobre las plantaciones de algodón, de café, de nuez moscada, de clavo y de pimienta. El vapor se enroscaba en espirales en torno a los grupos de palmeras, entre las que aparecían algunos pintorescos *bungalows* y *viharis* o monasterios abandonados, y de vez en cuando alguno de esos templos maravillosos enriquecidos por la inagotable ornamentación de la arquitectura hindú. Inmensas extensiones de tierra se dibujaban hasta perderse de vista, cuando no las junglas, en las que no faltan las serpientes y los tigres, a los que espantaba el ruido del tren, o las selvas hendidas por el trazado de la vía, aún habitadas por elefantes que contemplaban tranquilamente el paso veloz del convoy.

Durante la mañana, pasada ya la estación de Malligaun, los viajeros atravesaron un territorio funesto, ensangrentado con tanta frecuencia en otro tiempo por los adictos a la diosa Kali. No lejos de allí se elevaban Ellora, con sus admirables pagodas, y la célebre Aurungabad, la capital del feroz Aureng-Zeb, por entonces ya simple cabeza de distrito de una de las provincias segregadas del reino del Nizam. Era en esa comarca donde Feringhea, el jefe de los thugs, el rey de los estranguladores, ejercía su dominio. Unidos en una asociación inaprehensible, esos asesinos procedían, en honor de la diosa de la muerte, a estrangular a personas de toda edad, sin verter sangre jamás. Hubo un tiempo en que era imposible recorrer el territorio sin hallar un cadáver. El Gobierno inglés ha conseguido impedir esos asesinatos en una notable proporción, pero la terrible asociación continúa existiendo y funcionando aún.

A las doce y media, el tren se detuvo en la estación de Burhampur, donde Passepartout pudo procurarse, a un precio exorbitante, un par de babuchas adornadas con falsas perlas, que se puso con una evidente vanidad.

Los viajeros almorzaron rápidamente y reemprendieron el viaje hacia la estación de Assurghur. Por un instante bordearon las orillas del Tapty, pequeño río que desemboca en el golfo de Cambaya, cerca de Surate.

En Passepartout se había producido un cambio de actitud. Hasta su llegada a Bombay había creído que el viaje terminaría allí. Pero la travesía de la India a toda velocidad le había hecho cambiar de idea y de ánimo. Su temperamento natural volvía por sus fueros, hasta hacerle reencontrar las ideas fantasiosas de su juventud. Había comenzado a tomar en serio los proyectos de Fogg, a creer en la realidad de la apuesta sobre esa vuelta al mundo en un mínimo de tiempo insuperable. Por ello se manifestaba ya en él la inquietud de los posibles retrasos, de los accidentes que pudieran sobrevenir en ruta. Se sentía ya ganado a esta apuesta, concernido por ella, y le estremecía la idea de haberla podido comprometer en la víspera con su imperdonable curiosidad. Mucho menos flemático que Fogg, se mostraba mucho más inquieto. Contaba una y otra vez los días invertidos, maldecía las paradas del tren, al que acusaba de lentitud y reprochaba *in petto* a Phileas Fogg que no hubiera ofrecido una prima al maquinista, ignorante de que lo que era posible en un barco no lo era en un tren, cuya velocidad está reglamentada.

A última hora de la tarde, el tren se internó en los desfiladeros de las montañas de Sutpur, que separan los territorios del Jandeish y del Bundelkund.

Al día siguiente, 22 de octubre, como sir Francis Cromarty preguntara qué hora era, Passepartout respondió, tras consultar su reloj, diciendo que eran las tres de la mañana. Y, en efecto, ese famoso reloj, ajustado todavía al meridiano de Greenwich, situado a casi setenta y siete grados al oeste, llevaba un retraso de cuatro horas. Sir Francis debió rectificar, pues, la hora dada por Passepartout, a quien hizo la misma observación que ya le hiciera Fix. Trató de hacerle comprender que debía ajustar su reloj a cada nuevo meridiano, y que, dado que marchaba constantemente hacia el este, es decir al encuentro del Sol, los días eran más cortos tantas veces cuatro minutos cuantos grados recorriera. Pero fue inútil. El testarudo muchacho, comprendiera o no la observación del brigadier, se obstinó en mantener invariablemente su reloj a la hora de Londres. Inocente manía, al fin y al cabo, que no perjudicaba a nadie.

A las ocho de la mañana, y a quince millas de la última estación, la de Rothal, por la que habían pasado, el tren se detuvo en medio de una extensa pradera rodeada por algunos *bungalows* y cabañas de obreros. El conductor del tren pasó a lo largo de los vagones anunciando que los viajeros debían descender allí.

Phileas Fogg miró a sir Francis Cromarty, quien parecía no comprender la razón de esa parada en el calvero de un bosque de tamarindos.

Passepartout, no menos sorprendido, descendió y regresó casi al momento, gritando:

–El ferrocarril termina aquí.

–¿Qué quiere usted decir? –preguntó sir Francis Cromarty.

–Que el tren no continúa.

El brigadier descendió del vagón, seguido de Phileas Fogg. Ambos se dirigieron al revisor.

–¿Dónde estamos? –preguntó sir Francis Cromarty.

–En la aldea de Jolby –respondió el revisor.

–¿Y nos detenemos aquí?

–Forzosamente, puesto que el ferrocarril no está acabado.

–¿Cómo que no está acabado?

–No. Falta aún establecer el tendido en un trayecto de cincuenta millas, hasta Allahabad, donde continúa la vía.

–Sin embargo, los periódicos han anunciado la apertura completa de la línea.

–¡Qué quiere usted, mi brigadier! Los periódicos se han equivocado.

–¿Y cómo es que venden ustedes billetes de Bombay a Calcuta? –dijo sir Francis Cromarty, que comenzaba a acalorarse.

–Así es, pero los viajeros saben muy bien que deben hacerse transportar desde Jolby hasta Allahabad.

Sir Francis estaba furioso. Passepartout habría golpeado de buena gana al revisor. No se atrevía a mirar a Fogg.

–Sir Francis –dijo tranquilamente Fogg–, si le parece bien, vamos a estudiar el modo de llegar a Allahabad.

–Señor Fogg, este retraso va a perjudicar seriamente a su empresa.

–No, sir Francis, esto estaba previsto.

–¿Cómo? ¿Sabía usted que la vía…?

–No, en absoluto. Pero sí sabía que, tarde o temprano, habría de surgir un obstáculo en mi camino. Pero, nada está perdido. Tengo dos días de adelanto que puedo sacrificar. Hay un barco que sale de Calcuta hacia Hong-Kong el 25 a mediodía. Estamos tan sólo a 22 y llegaremos a tiempo a Calcuta.

Nada había que oponer a una respuesta dada con tanta seguridad.

Era evidente que el tendido de la línea se detenía allí. Sucede con los periódicos lo que con algunos relojes que tienen la manía de adelantarse, y así habían anunciado prematuramente la terminación de la línea. La mayor parte de los viajeros conocían la interrupción de la vía, y a su descenso del tren se habían apoderado de los vehículos de todas clases que había en la aldea: *palkigharis* de cuatro ruedas, carretas arrastradas por cebúes, especie de bueyes gibosos, carros que semejaban pagodas ambulantes, palanquines, poneys, etcétera. Tras haber buscado un vehículo por toda la aldea, Fogg y sir Francis Cromarty regresaron sin haber hallado nada.

–Iré a pie –dijo Phileas Fogg.

Donde se hallaron en presencia de un animal

Passepartout, que llegaba en ese momento, hizo una significativa mueca de consternación al mirar sus magníficas pero inadecuadas babuchas. Pero, afortunadamente, en su propia exploración había descubierto algo que comunicó un tanto titubeante:

–Señor, creo haber descubierto un medio de transporte.

–¿Cuál?

–¡Un elefante! Un elefante que pertenece a un indio que vive a unos cien pasos de aquí.

–Vamos a ver a ese elefante –respondió Fogg.

Cinco minutos después se hallaban los tres ante una choza contigua a una corraliza cerrada por una alta empalizada. En la choza había un hindú y en la corraliza un elefante. El hindú introdujo a Fogg y a sus acompañantes en la corraliza, donde se hallaron en presencia de un animal, domesticado a medias, del que su propietario quería hacer un animal de combate y no de carga. Con ese fin había comenzado a modificar el carácter naturalmente pacífico del paquidermo para conducirle gradualmente a ese paroxismo de rabia que los indígenas denominan *mutsh* en su lengua, y ello mediante su alimentación, durante tres meses, con azúcar y mantequilla. Podrá parecer impropio ese tratamiento para tal resultado, pero lo cierto es que es empleado con éxito por los naires. Afortunadamente para Phileas Fogg, aquel elefante apenas había sido todavía sometido a ese régimen, por lo que no se había declarado aún el *mutsh*.

Kiuni –así se llamaba el elefante– podía, como todos sus congéneres, asegurar una marcha rápida y, a falta de otra montura, Phileas Fogg decidió emplearlo.

Pero los elefantes son caros en la India, donde empiezan a hacerse raros. Los machos, los únicos utilizables en las luchas de los circos, son muy buscados. Estos animales se reproducen muy raramente en cautividad o en estado doméstico, por lo que la única forma de su obtención estriba en la caza. Por todo esto son objeto de muy solícitos cuidados. De

ahí que el indio rehusara resueltamente aceptar la oferta de
alquiler que le hizo Fogg. Éste insistió y ofreció por el paquidermo el excesivo precio de diez libras por hora. La negativa
del propietario se mantuvo ante las sucesivas ofertas de veinte y de cuarenta libras que llevaban a Passepartout de sobresalto en sobresalto. El hindú no se dejaba tentar por la magnitud de las ofertas. Y eso que suponiendo que el elefante
invirtiese quince horas en llegar a Allahabad la última oferta
daría nada menos que seiscientas libras al propietario.

Imperturbable, Phileas Fogg propuso entonces al indio la
compra de su elefante por mil libras.

El dueño se negaba también a venderlo. Tal vez olfateaba
un magnífico negocio.

Sir Francis Cromarty exhortó a Phileas Fogg a reflexionar
antes de ir más lejos en sus ofertas. Phileas Fogg replicó a su
compañero que no acostumbraba a actuar sin reflexión, que
se trataba, a fin de cuentas, de una apuesta de veinte mil libras, que ese elefante le era necesario y que aunque tuviese
que pagar veinte veces su valor lo haría suyo.

Fogg se dirigió de nuevo al indígena, cuyos ojillos, alum-
brados por la codicia, revelaban que para él era una cuestión
de precio. Phileas Fogg ofreció sucesivamente mil doscientas libras, luego mil quinientas, después mil ochocientas y
por último, dos mil. Passepartout, tan coloradote de ordinario, estaba pálido de emoción.

Ante las dos mil libras, el indio se rindió.

–¡Por mis babuchas! –exclamó Passepartout– ¡A buen
precio está la carne de elefante!

Hecho el trato, faltaba por hallar un guía. Esto se reveló
mucho más fácil. Un joven parsi, de aspecto muy inteligente, ofreció sus servicios. Fogg aceptó y le prometió una espléndida remuneración, que no podría por menos de dupli-
car su inteligencia.

Se preparó y equipó al elefante sin demora. El parsi conocía perfectamente el oficio de *mahut* o de *cornac*. Cubrió con

una tapanca el lomo del elefante y dispuso en cada uno de sus flancos sendas artolas bastante incómodas.

Phileas Fogg pagó al hindú en billetes que aunque extraídos del bolso parecían salir de las entrañas de Passepartout, a juzgar por los gestos de éste.

Fogg ofreció a sir Francis Cromarty transportarle a la estación de Allahabad. El brigadier aceptó. Un viajero más no podía fatigar al gigantesco animal.

Compraron víveres en Jolby. Sir Francis Cromarty se instaló en una de las artolas y Phileas Fogg en la otra, mientras Passepartout montaba a horcajadas sobre la tapanca, entre ambos, y el parsi se encaramaba al cuello del elefante. A las nueve salieron de la aldea y escogiendo el camino más corto se internaron por un frondoso bosque de latanias.

Capítulo 12
En el que Phileas Fogg y sus compañeros se aventuran por las selvas de la India, y lo que de ello se sigue

A fin de abreviar la distancia del trayecto, el guía dejó a su derecha el trazado de la vía en curso de ejecución, por no seguir éste, dado el rumbo que le fijaban las caprichosas ramificaciones de los montes Vindhias, el camino más corto que interesaba tomar a Phileas Fogg. El parsi, muy familiarizado con los caminos y senderos del país, pretendía poder ganar una veintena de millas yendo a través de la selva, y se aceptó su itinerario.

Phileas Fogg y sir Francis Cromarty, alojados en sus artolas, aguantaban como podían, pero con la mayor flema británica, el rudo traqueteo a que les sometía el rígido trote del elefante, al que su *cornac* forzaba a una rápida marcha. Passepartout, instalado precariamente a lomos del animal, trataba de seguir el consejo que le había dado Fogg de no mantener la lengua entre los dientes, para evitar el peligro de cortársela por las violentas sacudidas que le hacía sufrir el trote del elefante. Ora lanzado hacia el cuello, ora despedido hacia la grupa del animal, el mozo parecía un *clown* haciendo cabriolas sobre el trampolín. Bromeaba y reía en medio de sus forzadas acrobacias y, de vez en cuando, sacaba de su bolso un azucarillo que el inteligente Kiuni recogía

Reía en medio de sus forzadas acrobacias

con la extremidad de su trompa sin interrumpir su trote regular.

A las dos horas de marcha, el guía detuvo al elefante para concederle una hora de descanso. Kiuni la aprovechó para saciar la sed en una charca y el hambre en las ramas y arbustos a su alcance.

Sir Francis Cromarty no halló motivo de queja en esa parada, pues se sentía destrozado. Phileas Fogg, en cambio, parecía hallarse tan descansado como si acabara de levantarse de la cama.

–¡Este hombre es de hierro! –exclamó el brigadier, mirándole con admiración.

–De hierro forjado –añadió Passepartout, que se hallaba ocupado en preparar un frugal almuerzo.

A mediodía, el guía dio la señal de partida.

El paisaje cobró pronto un aspecto muy salvaje. A las espesas selvas sucedieron bosques de tamarindos y de palmeras enanas, y después vastas llanuras áridas, erizadas de arbustos y sembradas de grandes bloques de sienita. Toda esta parte del alto Bundelkund, poco frecuentada por los viajeros, está habitada por una población fanática, endurecida en las más terribles prácticas de la religión hindú. El dominio de los ingleses no ha podido establecerse regularmente sobre un territorio sometido a la influencia de los rajás, guarecidos en sus inaccesibles retiros de los montes Vindhias.

En varias ocasiones vieron bandas de indios feroces que hacían gestos coléricos al ver pasar al rápido cuadrúpedo. El parsi hacía todo lo posible por evitarlos, considerándolos como gente indeseable. Vieron pocos animales aquel día, apenas algunos monos que huían haciendo muecas y contorsiones que divertían mucho a Passepartout.

Inquietaba mucho a éste la idea de lo que haría Phileas Fogg con el elefante cuando llegaran a la estación de Allahabad. ¿Se lo llevaría consigo? Imposible. El precio del transporte, unido al de su adquisición, lo convertiría en un animal ruinoso. ¿Lo vendería o le devolvería la libertad? Tan estimable animal merecía la mayor consideración. De ocurrírsele a Phileas Fogg la idea de regalárselo a él, se vería en un apuro, y esto no dejaba de inquietarle.

Rebasada ya hacia las ocho de la tarde la principal cadena de los Vindhias, los viajeros hicieron alto al pie de la vertiente septentrional, en un *bungalow* en ruinas.

Habían recorrido durante la jornada unas veinticinco millas y les quedaban por recorrer otras tantas para llegar a la estación de Allahabad.

El frío de la noche les hizo apreciar el calor del fuego encendido por el parsi con ramas secas en el interior del *bungalow*. Cenaron con las provisiones adquiridas en Jolby. La fatiga hizo que la conversación, comenzada con algunas frases entrecortadas, terminara pronto en sonoros ronquidos. El guía veló junto a Kiuni, que dormía de pie, apoyado en el tronco de un árbol.

La noche transcurrió sin incidentes. Los rugidos de los guepardos y las panteras, mezclados con los agudos chillidos de los monos, perturbaron a veces el silencio de la noche. Pero los carniceros se limitaron a rugir sin hacer ninguna demostración de hostilidad contra los huéspedes del *bungalow*. Sir Francis Cromarty durmió pesadamente como un bravo militar acostumbrado a la fatiga. Passepartout, muy agitado, rehízo en sueños las cabriolas de la jornada. Phileas Fogg durmió tan apaciblemente como si se hubiera hallado en su tranquila casa de Saville-row.

A las seis de la mañana reemprendieron la marcha. El guía esperaba llegar a la estación de Allahabad al fin de la jornada. De esa forma, Fogg perdería tan sólo una parte de las cuarenta y ocho horas economizadas desde el comienzo de su viaje.

Descendieron las últimas pendientes de los Vindhias, al paso rápido de Kiuni. Hacia mediodía, el guía contorneó el pueblecito de Kallenger, situado a orillas del Cani, uno de los subafluentes del Ganges, siguiendo su costumbre de evitar los lugares habitados, por sentirse en mayor seguridad en los campos desiertos de esa región asentada en las primeras depresiones de la cuenca del gran río. La estación de Allahabad no distaba ya más de doce millas, hacia el nordeste. Hicieron alto bajo unos bananos cuyos frutos, tan sanos como el pan, «tan suculentos como la crema», dicen los viajeros, fueron extremadamente apreciados.

Hacia las dos de la tarde entraron en un frondoso bosque que debían atravesar por espacio de varias millas. El guía prefería viajar al abrigo de los bosques. Hasta entonces no habían tenido ningún encuentro desagradable, y el viaje parecía deber cumplirse sin incidentes. Súbitamente, el elefante se detuvo manifestando signos de inquietud.

Eran las cuatro de la tarde en ese momento.

–¿Qué pasa? –preguntó sir Francis.

–No lo sé, mi brigadier –respondió el parsi, que aguzaba el oído hacia un confuso murmullo que venía de la espesura.

Unos instantes después, el murmullo se hacía más nítido. Se hubiese dicho un concierto, distante aún, de voces humanas y de instrumentos de cobre.

Passepartout era todo ojos y orejas. Fogg esperaba pacientemente, sin pronunciar palabra alguna.

El parsi saltó a tierra, ató el elefante a un árbol, y se internó en la espesura. Regresó al cabo de algunos minutos, diciendo:

–Es una procesión de brahmanes que se dirige hacia aquí. Evitemos que nos vean, si es posible.

El guía desató al elefante y lo condujo a unos grandes matorrales.

Recomendó a los viajeros que no se apearan y él mismo se mantuvo preparado para encaramarse rápidamente a su montura en caso de que la huida fuese necesaria, aunque creía que la procesión pasaría sin verlos por hallarse ocultos por el follaje.

El sonido discordante de las voces y de los instrumentos se acercaba paulatinamente. Cantos monótonos se mezclaban a los sones de los címbalos y de los tambores. Pronto apareció bajo los árboles, a unos cincuenta pasos de donde se hallaban Fogg y sus compañeros, la cabeza de la procesión. A través de las ramas, pudieron distinguir fácilmente el curioso conjunto de la ceremonia religiosa. En primera línea iban los sacerdotes, tocados com mitras y vestidos con largas túnicas recamadas, que avanzaban rodeados de hombres, mujeres y niños que iban cantando una fúnebre salmodia interrumpida a intervalos iguales por los golpes de los tambores y de los címbalos. Tras ellos, sobre un carro de grandes ruedas, cuyos radios y llantas representaban un entrelazamiento de serpientes, había una estatua horrible. El carro iba tirado por dos parejas de cebúes ricamente enjaezados. La estatua tenía cuatro brazos; el cuerpo estaba pintado de un rojo oscuro; los ojos, feroces y extraviados; los cabellos, enmarañados; la lengua, colgante, y los labios teñidos con los jugos del henneh y del betel. Un collar de calaveras rodeaba su cuello y un cinturón de manos cortadas ceñía su cintura. Estaba colocada de pie sobre un gigante yacente y decapitado.

Sir Francis Cromarty reconoció la estatua.

–La diosa Kali –murmuró–, la diosa del amor y de la muerte.

–De la muerte, sí, pero lo que es del amor, una mujerona tan horrible, imposible –dijo Passepartout.

El parsi le indicó que se callara.

Alrededor de la estatua se agitaba en movimientos desordenados y convulsos un grupo de viejos faquires con la piel pintada de grandes rayas ocres y cubierta de incisiones en forma de cruz que sangraban gota a gota, estúpidos energúmenos que aún hoy se precipitan bajo las ruedas del carro de Jaggernot en las grandes ceremonias hindúes.

Tras ellos, unos brahmanes, suntuosamente ataviados con su traje oriental, arrastraban a una mujer que apenas podía mantenerse en pie. Era una mujer joven y tan blanca como una europea. Iba con la cabeza, el cuello, los hombros, las orejas, los brazos, las manos y los pies recargados de joyas, de collares, de brazaletes, de pendientes y de anillos. Una túnica recamada de oro y recubierta por una fina gasa dibujaba los contornos de su talle.

En violento contraste con la joven aparecieron tras ella guardias armados con sables desenvainados al cinto y largas pistolas taraceadas, llevando un cadáver sobre un palanquín. Era el cuerpo de un anciano, amortajado con su opulenta ropa de rajá. Llevaba, como en vida, el turbante recamado de perlas, y de oro el vestido de seda, un cinturón de casimir con diamantes y sus magníficas armas de príncipe indio.

Cerraban el cortejo los músicos y una retaguardia de fanáticos cuyos gritos cubrían a veces el ruido ensordecedor de los instrumentos.

Sir Francis Cromarty, que miraba entristecido toda aquella pompa, dijo, dirigiéndose al guía:

–Un *sutty*.

El parsi hizo un gesto afirmativo, seguido de otro que invitaba al silencio.

La larga procesión se desplegó lentamente bajo los árboles, y sus últimas filas no tardaron en desaparecer en la profundidad del bosque. Poco a poco se apagó el sonido de los cantos. Durante algunos minutos aún pudieron oír gritos lejanos. Luego, al tumulto sucedió un profundo silencio.

Phileas Fogg había oído lo que dijera sir Francis Cromarty y cuando hubo desaparecido la procesión, preguntó:

–¿Que es un *sutty*?

–Un *sutty*, señor Fogg –respondió el oficial–, es un sacrificio humano, pero un sacrificio voluntario. Esta mujer que acaba de ver perecerá en la pira mañana, en las primeras horas del día.

–¡Ah! ¡Canallas! –exclamó Passepartout, incapaz de contener su indignación.

–¿Y ese cadáver? –preguntó Fogg.

–Es el de un príncipe, su marido –respondió el guía–, un rajá independiente del Bundelkund.

–¿Cómo? –preguntó Phileas Fogg, sin que su voz traicionara la menor emoción– ¿Subsiste aún en la India esas bárbaras costumbres? ¿No han podido destruirlas aún los ingleses?

–Se han podido desterrar estos sacrificios de la mayor parte de la India –repuso el oficial–, pero no tenemos influencia alguna en estas comarcas salvajes y, en particular, en este territorio del Bundelkund. Toda la vertiente septentrional de los Vindhias continúa siendo escenario de incesantes homicidios y saqueos.

–¡Desdichada! –murmuraba Passepartout–. ¡Quemada viva!

–Así es, quemada viva –dijo el oficial–. Y de no serlo, no pueden ustedes imaginarse la miserable condición a que se vería reducida. Le afeitarían la cabeza, la alimentarían apenas con unos puñados de arroz, la rechazarían todos considerándola como una criatura inmunda y acabaría muriéndose en un rincón como un perro sarnoso. La perspectiva de tan espantosa existencia es lo que induce a menudo a estas desgraciadas, más que el amor o el fanatismo religioso, a preferir el suplicio. A veces, sin embargo, el sacrificio es realmente voluntario y es necesaria la enérgica intervención del Gobierno para impedirlo. Recuerdo que hace unos años, residía yo por entonces en Bombay, una joven viuda solicitó del gobernador la autorización para inmolarse en el fuego con el cadáver de su marido. Como pueden suponer, el gobernador rehusó autorizarlo. La viuda abandonó la ciudad, se refugió en los dominios de un rajá independiente y consumó su sacrificio.

Cuando hubo acabado su relato el brigadier, el guía, que lo había seguido con diversos movimientos de cabeza, dijo:

Esa desdichada no parecía oponer la menor resistencia

–El sacrificio que se realizará mañana al alba no es voluntario.

–¿Cómo lo sabe usted?

–Es una historia que todo el mundo conoce en el Bundelkund –respondió el guía.

–Sin embargo, esa desdichada no parecía oponer la menor resistencia –observó sir Francis Cromarty.

–Porque la han embriagado con humo de cáñamo y de opio.

–Pero ¿adónde la llevan?

–A la pagoda de Pillaji, a unas dos millas de aquí. Allí pasará la noche, en espera de la hora del sacrificio.

–¿Y cuándo se realizará el sacrificio?

–Mañana, al despuntar el alba.

Dicho esto, el guía hizo salir al elefante de los matorrales y se izó sobre el cuello del paquidermo. Pero en el momento en que se disponía a excitarlo con un silbido muy particular, Fogg le detuvo y, dirigiéndose a sir Francis Cromarty, dijo:

–¿Y si salváramos a esa mujer?

–¡Salvarla, señor Fogg!

–Aún me quedan doce horas de adelanto. Puedo consagrarlas a eso.

–¡Diantre! ¡Pero si es usted un hombre de corazón! –dijo sir Francis Cromarty.

–A veces –respondió simplemente Phileas Fogg–. Cuando tengo tiempo.

Capítulo 13
En el que Passepartout prueba una vez más que la fortuna sonríe a los audaces

Audaz era el proyecto, erizado de dificultades, impracticable, tal vez. Phileas Fogg iba a arriesgar su vida, o, al menos, su libertad, y con ella la suerte de su empresa; pero no vaciló. En sir Francis Cromarty encontró un auxiliar decidido. En cuanto a Passepartout, estaba dispuesto a todo, exaltado como se hallaba por la idea de Fogg. Bajo la envoltura de hielo de éste, Passepartout entrevió un corazón, un alma. Empezaba a querer a Phileas Fogg.

Quedaba el guía. ¿Qué partido iba a tomar ante este asunto? ¿No se inclinaría en favor de sus compatriotas? A falta de su concurso, había que asegurarse por lo menos su neutralidad. Sir Francis Cromarty le planteó con toda franqueza la cuestión.

–Mi brigadier –respondió el guía–, yo soy parsi, y esa mujer es parsi. Pueden contar conmigo.

–Muy bien, guía –dijo Fogg.

–No obstante –añadió el parsi–, deben ustedes saber que si caemos en su poder no sólo arriesgamos nuestras vidas sino también sufrir suplicios horribles. Piénselo bien.

–Está pensado –respondió Fogg–. Supongo que deberemos esperar a la noche para actuar ¿no?

–Yo también lo creo –respondió el guía.

El guía dio entonces algunos detalles sobre la víctima. Era una hindú de raza parsi, célebre por su belleza, hija de ricos negociantes de Bombay. Había recibido en esta ciudad una educación totalmente inglesa, y por sus modales y por su instrucción hubiera podido pasar por europea. Se llamaba Aouda. Huérfana, se vio casada, contra su voluntad, con un viejo rajá del Bundelkund, del que enviudó tres meses después. Sabiendo la suerte que le esperaba, se escapó, pero fue inmediatamente capturada y los parientes del rajá, interesados en su muerte, la condenaron al suplicio del que difícilmente podría librarse.

Este relato no podía sino reforzar en Fogg y sus compañeros su generosa resolución. Se decidió que el guía dirigiera al elefante hacia la pagoda de Pillaji, a la que se aproximaría tanto como fuera posible.

Media hora después hicieron alto entre los árboles, a unos quinientos pasos de la pagoda, invisible para ellos pero desde la que les llegaban claramente los alaridos de los fanáticos.

Se discutió la manera de llegar hasta la víctima. El guía conocía la pagoda en la que, según él, se hallaba presa la joven. ¿Sería posible penetrar por una de las puertas cuando toda la banda estuviera sumida en el sueño de la embriaguez, o habría que practicar un agujero en la muralla? Era una cuestión cuya respuesta sólo podía hallarse en el lugar y en el momento oportunos. Pero lo que no dejaba lugar a dudas era que el rescate debía ser efectuado en la misma noche, sin esperar a que, llegado el día, se condujera a la víctima al suplicio. En ese momento, ninguna intervención humana podría ya salvarla.

Fogg y sus compañeros esperaron que anocheciera. Cuando hacia las seis de la tarde se cernió la oscuridad, decidieron operar un reconocimiento en torno a la pagoda. Iban extinguiéndose los últimos gritos de los faquires. Según su costumbre, los hindúes debían estar sumidos en la fuerte embriaguez del *hang* –opio líquido mezclado a una infusión de cáñamo– y quizás fuera posible deslizarse entre ellos hasta el templo.

Guiando a Fogg, sir Francis Cromarty y Passepartout, el parsi avanzó en silencio a través del bosque. Después de haber reptado por el suelo durante diez minutos, llegaron a orillas de un riachuelo. Desde allí pudieron ver, a la luz de las antorchas de hierro en cuyas puntas ardían las resinas, un montón de madera apilada. Era la pira, hecha con madera preciosa de sándalo, que ya estaba impregnada de un aceite perfumado, sobre la que yacía el cadáver embalsamado del rajá que había de ser quemado al mismo tiempo que su viuda. A unos cien pasos de la pira se hallaba la pagoda, cuyos almínares se elevaban en la oscuridad por encima de los árboles.

–Vamos –dijo el guía en voz baja.

Y redoblando sus precauciones, se deslizó entre las altas hierbas, seguido de sus compañeros, en un silencio sólo alterado por el murmullo del viento en las ramas. El guía se detuvo en la extremidad de un calvero iluminado por las antorchas, donde yacían confundidos hombres, mujeres y niños, durmiendo. Muchos de ellos dormían el pesado sueño de la embriaguez y algunos borrachos jadeaban todavía. Hubiérase dicho un campo de batalla cubierto de muertos.

Al otro lado del calvero, entre la masa de árboles, se erguía confusamente la pagoda de Pillaji. A la luz de las fuliginosas antorchas, el guía pudo ver, con gran contrariedad, que los guardias vigilaban las puertas, ante las que se paseaban con el sable desenvainado. Cabía suponer que en el interior los sacerdotes velaban también.

Reconociendo la imposibilidad de forzar la entrada del templo, el parsi hizo retroceder a sus compañeros. Tanto Phileas Fogg como sir Francis Cromarty habían comprendido como él que no había nada que hacer por ese lado.

Los guardias vigilaban las puertas

Se detuvieron y conferenciaron en voz baja.

–Esperemos –propuso el brigadier–. No son más que las ocho y es posible que los guardias sucumban también al sueño.

–Eso es posible, en efecto –respondió el parsi.

Phileas Fogg y sus compañeros se tumbaron al pie de un árbol y esperaron. El tiempo les pareció largo. De vez en cuando, el guía iba a observar desde el lindero del bosque. Los guardias del rajá seguían en sus puestos y una luz vaga se filtraba por las ventanas de la pagoda.

Esperaron así hasta medianoche, sin que cambiara en nada la situación. Continuaba la vigilancia, y era ya evidente que no cabía contar con que se durmieran los guardias, a quienes muy probablemente se les había prohibido la infusión del *hang*. Necesario era, pues, actuar de otro modo, tal vez penetrando en la pagoda por medio de la apertura de un boquete en sus muros. Faltaba saber si los sacerdotes vigilaban también en el interior con el mismo celo con que lo hacían los guardianes a la puerta del templo.

Tras haber deliberado, el guía dijo estar dispuesto a partir. Fogg, sir Francis y Passepartout le siguieron, dando un largo rodeo para alcanzar la pagoda por su parte trasera.

Hacia las doce y media de la noche llegaron al pie de los muros de la pagoda sin haber hallado ningún obstáculo. No había la menor vigilancia por ese lado, en la ausencia total de puertas y ventanas.

Oscura era la noche. La luna, entonces en su último cuarto, desaparecía en el horizonte, cubierto de nubarrones. La altura de los árboles aumentaba aún más la oscuridad.

Pero no bastaba haber llegado al pie del muro; había que practicar en él un boquete y para esa operación Phileas Fogg y sus compañeros no disponían de otros instrumentos que sus navajas. Afortunadamente, los muros de la pagoda, hechos de una mezcla de ladrillos y de madera, no podían oponer mucha resistencia. Una vez retirado el primer ladrillo, sería fácil quitar los demás.

Comenzaron la tarea, cuidando de hacer el menor ruido posible. El parsi por un lado y Passepartout por otro se aplicaron a arrancar los ladrillos necesarios para abrir un agujero de unos dos pies de anchura. Iban progresando en su tarea cuando, de repente, sonó un grito en el interior del templo, que fue seguido casi inmediatamente de otros proferidos en el exterior.

Passepartout y el guía interrumpieron su trabajo. ¿Les habrían descubierto? ¿Se trataba de gritos de alerta? La más elemental prudencia les imponía alejarse, y es lo que hicieron, al mismo tiempo que Phileas Fogg y sir Francis Cromarty. Se agazaparon todos nuevamente bajo los árboles, en espera de que la alerta, si tal era, cesase, y con la intención de reanudar el trabajo cuando así ocurriese. Pero tal esperanza quedó disipada por un funesto contratiempo: los guardias aparecieron por la parte posterior de la pagoda y se instalaron allí, impidiendo así toda aproximación.

Difícil sería describir la decepción de los cuatro hombres, frenados en su tarea. ¿Cómo podrían salvar a la víctima sin la posibilidad de acercarse a ella? Sir Francis Cromarty se roía las uñas. Passepartout estaba fuera de sí y el guía apenas podía contenerle. Tan sólo el impasible Fogg esperaba sin manifestar sus sentimientos.

–Tendremos que abandonar la empresa –dijo el brigadier en un susurro.

–Sí, tenemos que partir –asintió el guía.

–Esperen –dijo Fogg–. Me basta con estar mañana en Allahabad antes de mediodía.

–Pero ¿qué espera usted? Dentro de unas horas va a despuntar el día y entonces... –dijo sir Francis Cromarty.

–¿Qué espero? Que surja una oportunidad, quizás en el momento supremo.

El brigadier hubiera querido poder leer en los ojos de Phileas Fogg. ¿Qué podía estar pensando ese frío inglés? ¿Se proponía acaso precipitarse hacia la joven viuda en el momento del suplicio y arrancarla a sus verdugos? Sería una locura, y era difícil admitir que ese hombre estuviese loco hasta tal punto. Sin embargo, sir Francis Cromarty consintió esperar hasta el desenlace de la terrible escena. Pero el guía no dejó a sus compañeros permanecer en el lugar en que se habían refugiado, y les condujo a la linde del calvero, desde donde, ocultos por los árboles, podían observar a los durmientes y la fachada anterior de la pagoda. Passepartout, encaramado a las primeras ramas de un árbol, rumiaba una idea que había atravesado su mente como un relámpago y que acabó por incrustarse en su cerebro. Rechazada inicialmente con un «¡qué locura!», le daba vueltas una y otra vez, repitiéndose: «¿Y por qué no, después de todo? Una probabilidad, quizás la última... y con estos ignorantes...»

Concentrado en tales pensamientos, Passepartout se deslizó con la flexibilidad de una serpiente sobre las ramas inferiores del árbol, curvadas hacia el suelo.

Pasaron las horas. La oscuridad seguía siendo profunda, aun cuando ya se anunciaba la llegada del día.

Llegó el momento, la hora en que la desdichada debía morir. Se produjo súbitamente algo como una resurrección entre la dormida multitud. Los grupos se animaron al son de los tambores y los cantos y los gritos surgieron nuevamente.

Se abrieron las puertas de la pagoda proyectando un vivo haz de luz. Fogg y sir Francis Cromarty vieron a la víctima, vivamente iluminada, arrastrada hacia fuera por dos sacerdotes. Les pareció incluso que la desdichada, sobreponiéndose al sopor de la embriaguez por un supremo esfuerzo del instinto de conservación, intentaba escapar a sus verdugos. El corazón de sir Francis Cromarty dio un vuelco en su pecho y al asir, en un movimiento convulsivo, la mano de Phileas Fogg, notó que éste empuñaba un cuchillo.

La muchedumbre se puso en movimiento. La joven, sumida nuevamente en el letargo causado por el humo de cáñamo, pasó a través de los faquires, que la escoltaron con sus religiosas vociferaciones.

Phileas Fogg y sus compañeros le siguieron tras las últimas filas de la muchedumbre.

Dos minutos después llegaban a orillas del riachuelo y se detenían a menos de cincuenta pasos de la pira sobre la que yacía el cuerpo del rajá. En la semioscuridad vieron a la víctima absolutamente inerte, ya extendida al lado del cadáver de su esposo.

Impregnada de aceite, la leña se inflamó enseguida al acercársele una antorcha.

Sir Francis Cromarty y el guía hubieron de retener a Phileas Fogg que, en un momento de generosa locura, se lanzaba hacia la pira. Ya había conseguido zafarse de ellos Phileas Fogg cuando se produjo un súbito cambio de escena. Un grito de terror se elevó de la muchedumbre que, presa del espanto, se precipitó al suelo.

El viejo rajá no había muerto, pues se le vio levantarse de repente, como un fantasma, tomar a la joven en sus brazos y descender de la pira, entre el humo y las llamas que le daban una apariencia espectral.

Sobrecogidos por el terror, los faquires, los guardias y los sacerdotes se hallaban de bruces contra el suelo y no osaban levantar los ojos para contemplar el prodigio.

Fogg y sir Francis Cromarty habían permanecido en pie. El parsi había bajado la cabeza. Passepartout no debía sentirse menos estupefacto.

Con la víctima inanimada en sus brazos, el resucitado llegó cerca del lugar en que se hallaban Fogg y sir Francis Cromarty, y les dijo brevemente:

–¡Huyamos!

¡Era Passepartout, que se había deslizado hacia la pira en medio de la espesa humareda! ¡Era Passepartout quien, aprovechando la oscuridad, había arrancado la joven a la muerte! ¡Era Passepartout quien, desempeñando su papel

Un grito de terror se elevó de la muchedumbre

con una audacia singular, corría en medio del espanto general!

Un instante después, desaparecían en el bosque huyendo al rápido trote del elefante. Pero los gritos, los clamores e incluso una bala que perforó el sombrero de Phileas Fogg les anunciaron que la estratagema había sido descubierta. En efecto, las llamas habían mostrado a la muchedumbre el cuerpo del viejo rajá, y los sacerdotes, repuestos de su espanto, comprendieron que habían asistido a un rapto.

Inmediatamente se precipitaron hacia el bosque, seguidos de los guardias, que hicieron una descarga. Pero la rápida huida de los raptores puso a éstos en unos instantes fuera del alcance de las balas y las flechas.

Capítulo 14
En el que Phileas Fogg desciende por el admirable valle del Ganges, sin pensar siquiera en verlo

El éxito del audaz rapto hacía reír a Passepartout todavía una hora después. Sir Francis Cromarty había estrechado la mano del intrépido muchacho. Fogg le había dicho: «Bien», lo que en su boca equivalía a una efusiva aprobación. A esto había respondido el muchacho diciendo que el honor de la aventura correspondía al señor Fogg, pues él no había tenido más que una idea «divertida». Y Passepartout reía al pensar que durante algunos instantes él, antiguo gimnasta y ex sargento de bomberos, había sido el viudo de una encantadora joven, un viejo rajá embalsamado.

La joven hindú continuaba inconsciente de lo sucedido. Envuelta en una manta de viaje, se hallaba instalada en una de las artolas.

Dirigido con mano segura por el parsi, el elefante corría rápidamente por el bosque aún en la oscuridad. Una hora después de haber dejado la pagoda de Pillaji, entraron en una inmensa llanura. A las siete, hicieron un alto.

La joven se hallaba todavía en un estado de completa postración. El guía le hizo beber agua con unas gotas de brandy, pero el letargo en que estaba sumida debía prolongarse algún tiempo aún. Sir Francis Cromarty, que conocía los efectos de la embriaguez producida por la inhalación de los vapores de cáñamo, no abrigaba ninguna inquietud. Pero si su pronto restablecimiento no le preocupaba, sí le inquietaba el porvenir de la joven. No dudó en comunicar a Phileas Fogg que si Aouda permanecía en la India, inevitablemente volvería a caer en manos de sus verdugos. Estos energúmenos andaban por toda la península y, con toda certeza, a pesar de la policía inglesa, recuperarían a su víctima, ya fuese en Madrás, en Calcuta o en Bombay. En apoyo de su aserto, sir Francis Cromarty adujo un hecho de naturaleza similar que se había producido recientemente. En su opinión, la joven no se hallaría en seguridad si no abandonaba la India.

Phileas Fogg respondió que lo tendría en cuenta y vería lo que se podía hacer.

Hacia las diez, el guía anunciaba la llegada a la estación de Allahabad, de la que partía la línea hacia Calcuta que los trenes recorren en menos de un día y una noche. Phileas Fogg llegaría, pues, a tiempo para tomar un barco hacia Hong-Kong, que salía al día siguiente, 25 de octubre, a mediodía.

Se instaló a la joven en una sala de la estación, mientras Passepartout iba a comprarle objetos de tocador y diversas prendas de vestir, con el crédito ilimitado abierto para ellos por Phileas Fogg.

Passepartout partió inmediatamente hacia el centro de la ciudad. Allahabad es la ciudad de Dios, una de las más veneradas de la India por hallarse edificada en la confluencia de dos ríos sagrados, el Ganges y el Jumna, cuyas aguas atraen a peregrinos de toda la península. Sabido es que, según las leyendas del Ramayana, el Ganges nace en el cielo, desde donde, gracias a Brahma, desciende a la tierra.

No tardó Passepartout en ver la ciudad, antiguamente defendida por un magnífico fuerte convertido en una cárcel. Ya no hay comercio ni industria en esta ciudad, antiguamente tan industrial y mercantil. Passepartout, que buscaba en vano una tienda de novedades como si se hubiera hallado en

Regent-street a unos pasos de Farmer y Compañía, no halló otro comercio que el de un ropavejero, un viejo judío de malas pulgas, al que compró un vestido de tela escocesa, un amplio abrigo y un chaquetón de piel de nutria por el que no dudó en pagar setenta y cinco libras. Plenamente satisfecho de sus compras, regresó a la estación.

Aouda comenzaba a recobrar el conocimiento. El estado en que la habían sumido los sacerdotes de Pillaji iba disipándose poco a poco. Sus hermosos ojos iban adquiriendo la expresión de dulzura típica de las mujeres de raza hindú.

Al celebrar los encantos de la reina de Ahmehnagara, el rey poeta Uzaf Uddaul se expresaba así: «Su reluciente cabellera, dividida perfectamente en dos partes, enmarca los armoniosos contornos de sus mejillas delicadas y blancas, frescas y brillantes. Sus cejas de ébano tienen la forma y la fuerza del arco de Kama, dios del amor, y bajo sus largas y sedosas pestañas, en las negras pupilas de sus grandes ojos límpidos, nadan, como en los lagos sagrados del Himalaya, los más puros reflejos de la luz celeste. Finos, iguales y blancos, sus dientes resplandecen entre sus labios sonrientes, como gotas de rocío en el seno entreabierto de una flor de granado. Sus lindas orejitas de curvas simétricas, sus sonrosadas manos, sus piececitos arqueados y tiernos como las yemas del loto, brillan con el resplandor de las más bellas perlas de Ceilán y de los más hermosos diamantes de Golconda. Su delgada y flexible cintura, que una sola mano podría ceñir, realza las elegantes curvas de sus caderas y la riqueza de su busto, en el que la juventud en flor ostenta sus más perfectos tesoros. Bajo los sedosos pliegues de su túnica, parece estar moldeada en plata pura por la divina mano de Vicvacarma, el inmortal escultor».

Sin tanta amplificación oriental, bastaría decir que Aouda, la viuda del rajá del Bundelkund, era una mujer encantadora, en toda la acepción europea de la palabra. Hablaba el inglés con gran pureza, y el guía no había exagerado al afirmar que la joven parsi había sido transformada por la educación.

Faltaba ya poco tiempo para que el tren saliera de la estación de Allahabad. El parsi esperaba. Fogg le pagó lo estipulado, sin añadir ni un *farthing* de más, ante la sorpresa de Passepartout que era consciente de lo que debían a la abnegación del guía. El parsi había arriesgado voluntariamente su vida en el lance de Pillaji y el peligro no había cesado para él, pues si los hindúes llegaban a saberlo difícilmente escaparía a su venganza.

Quedaba también por decidir qué se hacía con Kiuni. ¿Qué podía hacerse de un elefante tan onerosamente adquirido?

Phileas Fogg había tomado ya una decisión al respecto.

–Parsi –le dijo al guía–, has sido servicial y abnegado. Te he pagado tu servicio, pero no tu abnegación. ¿Quieres este elefante? Es tuyo.

Los ojos del guía brillaron.

–¡Es una fortuna lo que me da! –exclamó.

–Acepta, guía –respondió Fogg–, y aún quedaré en deuda contigo.

–Enhorabuena. Tómalo, amigo. Kiuni es un bravo animal –dijo Passepartout al tiempo que ofrecía a Kiuni unos azucarillos.

El elefante gruñó de satisfacción, cogió a Passepartout por la cintura y rodeándolo con su trompa lo elevó hasta su cabeza. El muchacho, sin asustarse, acarició al animal que volvió a dejarlo en el suelo. Al apretón de trompa del paquidermo, correspondió Passepartout con una última caricia de despedida.

Momentos después, Phileas Fogg, sir Francis Cromarty y Passepartout, instalados en un confortable compartimiento cuyo mejor lugar ocupaba Aouda, corrían a toda velocidad hacia Benarés.

El muchacho, sin asustarse…

Las ochenta millas que separan esta ciudad de Allahabad fueron recorridas en dos horas.

Durante el trayecto, la joven volvió en sí, desaparecidos ya por completo los efectos del cáñamo. ¡Cuál fue su asombro al hallarse en un vagón de tren, vestida con ropas europeas, en medio de unos viajeros que le eran absolutamente desconocidos!

Sus compañeros le prodigaron sus más solícitos cuidados, reanimándola con unas gotas de licor, antes de contarle lo sucedido. Fue el brigadier quien lo hizo, insistiendo particularmente en la abnegación de Phileas Fogg, que no había dudado en jugarse la vida para salvarla, y en el desenlace de la aventura debido a la audaz imaginación de Passepartout. Fogg no pronunció la menor palabra, mientras Passepartout, confuso, decía una y otra vez que «eso no tenía importancia».

Aouda expresó efusivamente su reconocimiento a sus salvadores, más con sus lágrimas que con sus palabras. Sus hermosos ojos interpretaban mejor que sus labios su gratitud. Luego, al rememorar las escenas del *sutty* y al contemplar el paisaje de esa tierra en la que tantos peligros la acechaban aún, le sobrecogió un escalofrío de terror.

Phileas Fogg debió comprender lo que ocurría en el ánimo de la joven, y la tranquilizó ofreciéndole, muy fríamente, por cierto, llevarla a Hong-Kong, donde podría permanecer hasta que el asunto quedase olvidado.

Aouda aceptó muy agradecida la oferta. Precisamente, en Hong-Kong residía uno de sus parientes, parsi como ella, que era uno de los principales comerciantes de la ciudad, una ciudad que aun hallándose en la costa china es absolutamente inglesa.

A las doce y media el tren se detuvo en Benarés.

Las leyendas brahmánicas afirman que esta ciudad ocupa el emplazamiento de la antigua Casi, que se hallaba suspendida en el espacio, entre el cenit y el nadir, como la tumba de Mahoma. Pero a la sazón, en época más realista, Benarés, la Atenas de la India, al decir de los orientalistas, se sustentaba más prosaicamente en el suelo. Passepartout pudo entrever sus casas de ladrillos y sus chozas de cañizo que le daban un aspecto absolutamente desolado, sin ningún carácter local.

Allí debía detenerse sir Francis Cromarty. Su guarnición se hallaba a algunas millas al norte de la ciudad. El brigadier se despidió de Phileas Fogg deseándole el mayor éxito en su empresa y expresándole el voto de que rehiciera algún día ese viaje de forma menos original pero más provechosa. Fogg se limitó a estrechar ligeramente los dedos de su compañero. La despedida de Aouda fue más afectuosa. Jamás podría olvidar ella lo que le debía. Passepartout se sintió muy complacido por el fuerte apretón de manos que le dio el brigadier. Emocionado, el muchacho se preguntó si algún día podría prestarle algún servicio. Luego, se separaron.

A partir de Benarés, la línea férrea seguía en parte el valle del Ganges. A través de la ventanilla y gracias a un tiempo muy despejado podía contemplarse el muy variado paisaje del Behar, las verdes montañas, los cultivos de cebada, trigo y maíz, ríos y estanques poblados de verdes caimanes, pueblecitos pintorescos y bosques. Algunos elefantes y cebúes con sus grandes gibas se bañaban en las aguas del río sagrado, al igual que un gran número de hindúes de ambos sexos que, pese a lo avanzado de la estación y la fría temperatura, cumplían piadosamente sus sagradas abluciones. Encarnizados enemigos del budismo, esos fieles son fervientes sectarios de la religión brahmánica, que se encarna en la trinidad formada por Vishnú, la divinidad solar; Siva, la personificación divina de las fuerzas naturales, y Brahma, el señor supremo de los sacerdotes y de los legisladores. ¿Con qué ojos podían mirar Brahma, Siva y Vishnú esa India britanizada, cuando pasaba un barco de vapor turbando las agua sagradas del Ganges, espantando a las gaviotas que sobrevolaban

Un gran número de hindúes de ambos sexos

su superficie, a las tortugas que pululaban por sus orillas y a los devotos tendidos a lo largo de sus márgenes?

El panorama desfilaba ante ellos rápidamente, eclipsado en algunos de sus detalles de vez en cuando por una nube de humo. Apenas pudieron vislumbrar los viajeros el fuerte de Chunar, a veinte millas al sudeste de Benarés, antigua fortaleza de los rajás del Behar; Ghazepur y sus importantes fábricas de agua de rosas; la tumba de lord Cornwallis a orillas del Ganges; la ciudad fortificada de Buxar, Patna, gran ciudad industrial y mercantil y principal mercado del opio en la India; Monghir, la ciudad europeizada, tan inglesa como Manchester o Birmingham, famosa por sus fundiciones de hierro y sus fábricas de aperos de labranza y de armas blancas, y cuyas altas chimeneas ensuciaban de humo negro el cielo de Brahma, un verdadero atentado al país de los sueños...

Llegó la noche y los viajeros pudieron oír durante la misma los rugidos de los tigres y de los osos y los aullidos de los lobos que huían al paso de la locomotora. El tren pasó a toda velocidad, sin que los viajeros pudieran ver nada de las maravillas de Bengala, ni Golconda, ni las ruinas de Gur, ni Murshedabad, que en otro tiempo fue capital, ni Burdwan, ni Hugly, ni Chandernagor, ese enclave francés del territorio hindú cuya bandera flotando al viento hubiera enorgullecido a Passepartout.

Por fin, a las siete de la mañana llegaron a Calcuta. El barco con destino a Hong-Kong no levaría anclas hasta mediodía. Phileas Fogg tenía cinco horas ante sí.

Según su itinerario, debía llegar a la capital de la India el 25 de octubre, a los veintitrés días de su partida de Londres, y su llegada se producía en el día fijado. No llevaba, pues, ni adelanto ni retraso sobre el programa. Desgraciadamente, los dos días ganados por él entre Londres y Bombay habían sido perdidos en la travesía de la península, aunque cabe suponer que Phileas Fogg no lo lamentaba.

Capítulo 15

En el que se aligera la bolsa en algunos millares de libras más

Llegados a la estación, Passepartout se apeó el primero, seguido de Phileas Fogg, que ayudó a su joven acompañante a descender al andén. Fogg se proponía dirigirse directamente al barco a fin de instalar cómodamente en él a Aouda, a quien no quería dejar sola mientras se hallara en aquel país, tan peligroso para ella.

En el momento en que salían de la estación, un policía se acercó a Phileas Fogg.

–¿Es usted Phileas Fogg?

–Soy yo.

–Y este hombre ¿es su sirviente?

–Sí.

–Les ruego que me sigan los dos.

Fogg se abstuvo de hace el más mínimo gesto de sorpresa. Aquel agente era un representante de la ley, y, para un inglés, la ley es sagrada. Dejándose llevar por sus costumbres francesas, Passepartout quiso discutir, pero sendos gestos del policía y de Phileas Fogg le conminaron a obedecer.

–¿Puede acompañarnos la señora? –preguntó Fogg.

–No hay inconveniente –respondió el policía, quien les condujo hacia un *palki-ghari*, un vehículo de cuatro ruedas y cuatro plazas, tirado por dos caballos.

Nadie habló durante el trayecto, de unos veinte minutos de duración. El coche atravesó primero la «ciudad negra», conjunto de callejuelas bordeadas de chozas, por las que pululaba una muchedumbre cosmopolita, sucia y harapienta, y pasó luego por la ciudad europea, con vistosas edificaciones de ladrillo y sombreada por las palmeras, transitada ya, pese a lo temprano de la hora, por elegantes jinetes y magníficos carruajes. El *palki-ghari* se detuvo ante un edificio de simple apariencia pero que no debía estar afectado a usos domésticos. El policía hizo descender a sus prisioneros –pues bien podía calificárseles de tales– y les condujo a un aposento con ventanas enrejadas.

–A las ocho y media comparecerán ustedes ante el juez Obadiah –les dijo antes de retirarse y de cerrar la puerta.

–¡Vaya! Estamos presos –dijo Passepartout derrumbándose sobre una silla.

Con un tono de voz que pretendía en vano ocultar su emoción, Aouda dijo a Phileas Fogg:

–Debe abandonarme, señor. Se ve perseguido por causa mía. Es por haberme salvado.

Fogg se limitó a decir que eso no era posible. ¿Perseguido por el caso del *sutty*? Inadmisible. ¿Cómo osarían presentarse los querellantes ante un juez en un caso como ése? Debía haber un error. En todo caso, él no la abandonaría hasta llegar a Hong-Kong.

–Pero el barco sale a las doce –dijo Passepartout.

–Antes de esa hora estaremos a bordo –respondió sencillamente el impasible caballero.

Y lo dijo con tal seguridad, que Passepartout no pudo impedir decirse a sí mismo: «Eso es seguro, antes de las doce estaremos a bordo». Pero no estaba del todo tranquilo.

A las ocho y media se abrió la puerta y reapareció el policía para introducirles en la pieza contigua. Era una sala de audiencia, ocupada ya por numeroso público compuesto de europeos y de indígenas.

Fogg, Aouda y Passepartout tomaron asiento en un banco situado frente a los sillones reservados al juez y al escribano.

El magistrado entró inmediatamente, seguido del escribano. El juez Obadiah, gordo y corpulento, descolgó una peluca pendiente de un clavo y se la puso con presteza.

–La primera causa –dijo.

Pero, llevándose las manos a la cabeza, exclamó:

–¡Eh! Ésta no es mi peluca.

–En efecto, señor Obadiah, es la mía –respondió el escribano.

–Querido señor Oysterpuf ¿cómo quiere usted que un juez pueda dictar una buena sentencia con la peluca de un escribano?

Se procedió al cambio de pelucas.

Durante estos preliminares, Passepartout hervía de impaciencia, pues la aguja del gran reloj de pared del tribunal le parecía avanzar terriblemente deprisa.

–La primera causa –repitió el juez Obadiah.

–¿Phileas Fogg? –dijo el escribano.

–Heme aquí.

–¿Passepartout?

–¡Presente!

–Bien –dijo el juez–. Desde hace dos días se estaba buscando a los acusados en todos los trenes procedentes de Bombay.

–Pero ¿de qué se nos acusa? –preguntó, impaciente, Passepartout.

–Van a saberlo –replicó el juez.

–Señor juez –dijo Fogg–, soy ciudadano inglés y tengo derecho a...

–¿Se le ha faltado a las debidas consideraciones?

–No, señor juez.

–Bien, hagan entrar a los querellantes.

Se abrió una puerta por la que aparecieron tres sacerdotes introducidos por un ujier.

«¡Así que son ellos! ¡Los canallas que querían quemar a la joven viuda!», murmuró para sí Passepartout.

Los sacerdotes se mantuvieron en pie ante el juez, mientras el escribano leía en alta voz una denuncia por sacrilegio presentada contra el señor Phileas Fogg y su doméstico, acusados de haber profanado un lugar consagrado por la religión brahmánica.

–¿Lo ha oído usted? –preguntó el juez a Phileas Fogg.

–Sí, señor –respondió éste mientras consultaba su reloj–, y lo confieso.

–¡Ah! ¿Lo confiesa?

–Lo confieso, y espero que estos tres sacerdotes confiesen a su vez lo que se proponían hacer en la pagoda de Pillaji.

Los sacerdotes se miraron entre ellos. Parecían no comprender nada de lo que decía el acusado.

–Sí –intervino impetuosamente Passepartout–, que confiesen que se proponían quemar a su víctima ante la pagoda de Pillaji.

La expresión de los sacerdotes denunciaba su estupefacción y la del juez su asombro.

–¿Qué víctima? –preguntó el juez Obadiah– ¿A quién querían quemar? ¿En plena ciudad de Bombay?

–¿Bombay? –preguntó Passepartout.

–Sí. No se trata de la pagoda de Pillaji, sino de la de Malebar-Hill, en Bombay.

–Y como pieza de convicción, he aquí los zapatos del profanador –dijo el escribano depositando un par de zapatos sobre su mesa.

–¡Mis zapatos! –gritó Passepartout, que, sorprendido en extremo, no pudo retener esta involuntaria exclamación.

–¡Mis zapatos! –gritó Passepartout

Grande era la confusión que embargaba el ánimo de los acusados ante el magistrado de Calcuta por un incidente, el de la pagoda de Bombay, que habían olvidado completamente.

El agente Fix había comprendido el partido que podía sacar de ese desafortunado incidente. Retrasó en doce horas su partida y aconsejó a los sacerdotes de Malebar-Hill que se querellaran contra el infractor, asegurándoles que si lo hacían obtendrían una considerable indemnización, dada la severidad del gobierno inglés para con ese tipo de delitos. Fix logró convencerles y lanzarles en el próximo tren en persecución del profanador. Pero a causa del tiempo empleado en la liberación de la viuda, Fix y los brahmanes llegaron a Calcuta antes que Phileas Fogg y Passepartout, a quienes los magistrados, informados por telegrama, debían hacer detener a su descenso del tren. Grandes fueron la decepción y la inquietud que sobrecogieron a Fix al enterarse de que Phileas Fogg no había llegado aún a la capital de la India. Temió que su ladrón se hubiera detenido en una de las estaciones intermedias del *Peninsular railway* para buscar posteriormente refugio en las provincias septentrionales. Durante veinticuatro horas, presa de una terrible inquietud, Fix había estado acechando su llegada a la estación de Calcuta. Por ello fue muy grande su alegría, aquella misma mañana, al verlo descender del tren, en compañía, es cierto, de una mujer cuya presencia no podía explicarse. Inmediatamente echó sobre él a un policía. Así es como Fogg, Passepartout y la viuda del rajá del Bundelkund se vieron conducidos ante el juez Obadiah.

Si Passepartout hubiera estado menos preocupado, habría visto en un rincón de la sala al detective, que seguía el debate con un vivo interés, fácilmente comprensible, ya que, al igual que en Suez y en Bombay, seguía en Calcuta sin tener en su poder la orden de detención.

El juez Obadiah había tomado acta de la confesión que involuntariamente se le había escapado a Passepartout, quien habría dado todo lo que poseía por no haber pronunciado tan imprudentes palabras.

–Los hechos están pues confesados, ¿no es así? –dijo el juez.

–Confesados –respondía fríamente Fogg.

–Considerando que la ley inglesa entiende proteger igual y rigurosamente todas las religiones profesadas por las poblaciones de la India; considerando que el delito ha sido confesado por el señor Passepartout, convicto de haber profanado con sus sacrílegos pies el pavimento de la pagoda de Malebar-Hill, en Bombay, durante la jornada del 20 de octubre, se condena al susodicho Passepartout a quince días de prisión y a una multa de trescientas libras.

–¿Trescientas libras? –exclamó, escandalizado, Passepartout, sensible únicamente a la multa.

–¡Silencio! –ordenó agriamente el ujier.

El juez Obadiah prosiguió diciendo:

–Y considerando que no está materialmente probado que no haya habido connivencia entre el susodicho Passepartout y el señor Phileas Fogg, así como que, en todo caso, éste debe ser tenido por responsable de los actos perpetrados por un servidor a sus expensas, se condena al susodicho Phileas Fogg a ocho días de prisión y a ciento cincuenta libras de multa. Y ahora, pasemos a otra causa.

Fix, en su rincón, se sintió embargado de la más viva alegría. La retención de Phileas Fogg en Calcuta durante ocho días le deparaba tiempo más que suficiente para recibir la ansiada orden de arresto.

Passepartout estaba anonadado. La sentencia arruinaba a Phileas Fogg, al hacerle perder una apuesta de veinte mil libras. ¡Y todo eso por la estúpida curiosidad que le había llevado a penetrar en aquella maldita pagoda!

Tan dueño de sí como siempre, como si aquella condena no le concerniera en lo más mínimo, Phileas Fogg no había hecho el menor movimiento. Pero en el momento en que el escribano convocaba a otra causa, se levantó y dijo:

–Ofrezco fianza.

–Está usted en su derecho –respondió el juez.

Fix sintió un escalofrío, pero se tranquilizó inmediatamente, al oír al juez que «dada la condición de extranjeros de los acusados», la fianza para cada uno de ellos quedaba fijada en la enorme suma de mil libras. Dos mil libras, pues, habría de pagar Phileas Fogg para no purgar la condena.

–Las pago –dijo el *gentleman*.

Y del bolso que llevaba Passepartout sacó un fajo de billetes que depositó en la mesa del escribano.

–Esta suma le será restituida a su salida de la cárcel. Mientras tanto están libres bajo fianza –dijo el juez.

–Vamos –dijo Fogg a Passepartout.

–Pero, ¡al menos, que me devuelvan mis zapatos! –exclamó éste con rabia.

Le devolvieron los zapatos.

–Caros han salido –murmuró–. Más de mil libras cada uno, y, encima, me hacen daño.

Abrumado de vergüenza, Passepartout siguió a Phileas Fogg, que ofrecía su brazo a la joven.

Fix no había perdido la esperanza de que su ladrón no se decidiera a abandonar tan importante suma y que acabara por ir a la cárcel. Por ello, se lanzó tras los pasos de Fogg. Éste tomó un carruaje, y Fix se vio obligado a correr tras el coche, que pronto se detuvo en uno de los muelles.

El *Rangoon* estaba fondeado en la rada, a una media milla, con el pabellón de salida en lo alto del mástil. Eran las once de la mañana. Fogg llegaba con una hora de adelanto. Fix le vio apearse y embarcarse en seguida en una canoa con sus acompañantes.

Furioso, Fix dio una patada en el suelo.

–¡El miserable! ¡Se va! ¡Sacrifica dos mil libras! ¡Pródigo como un ladrón! ¡Ah! ¡Pues le seguiré hasta el fin del mundo, si es preciso! Pero al paso que va, el dinero del robo estará ya liquidado cuando le coja.

No carecía de fundamento la reflexión del policía, pues desde que Fogg había salido de Londres, entre gastos de viaje, primas, la compra del elefante, multas y fianzas, se habían quedado en el camino más de cinco mil libras. Con lo que el porcentaje del dinero recuperado que se había ofrecido como incentivo a los policías, iba disminuyendo alarmantemente.

Capítulo 16
En el que Fix simula no saber nada de lo que le dice Passepartout

El *Rangoon,* uno de los buques puestos en servicio en los mares de la China y del Japón por la Compañía Peninsular y Oriental, era un barco de vapor, de hélice, construido de hierro, que desplazaba mil setecientas setenta toneladas con una fuerza nominal de cuatrocientos caballos. Igualaba al *Mongolia* en velocidad, pero no en comodidad. Por ello, Phileas Fogg no pudo instalar a Aouda tan cómodamente como hubiera deseado. Pero, después de todo, se trataba tan sólo de una travesía de tres mil quinientas millas, o sea de once a doce días, y la joven no se mostró exigente.

Durante los primeros días de la travesía, Aouda pudo ir conociendo mejor a Phileas Fogg, al que en todo momento testimoniaba su vivo reconocimiento. El *gentleman* la escuchaba, en apariencia al menos, con la más extremada frialdad, sin que nada en sus gestos o en el tono de su voz denunciara en él la más ligera emoción. Se preocupaba de que no faltara nada a la joven y a determinadas horas le hacía compañía, si no para charlar, sí, al menos, para escucharle. Cumplía con ella los deberes de la más estricta cortesía, pero lo hacía como un autómata cuyos movimientos hubieran sido concebidos a tal fin. Desconcertada, Aouda no sabía qué

Al que en todo momento testimoniaba su vivo reconocimiento

pensar al respecto, aun cuando Passepartout le hubiera explicado la excéntrica personalidad del singular caballero. También le había informado de la apuesta que le hacía dar la vuelta al mundo, lo que hizo sonreír a Aouda. Pero, al fin y al cabo, ella le debía la vida, y su salvador no tenía nada que perder en que ella le viera a través de su agradecimiento.

Aouda confirmó el relato que había hecho el guía hindú de su conmovedora historia. Pertenecía, en efecto, a la raza que ocupa el primer lugar en la escala social de los indígenas de la India. Varios mercaderes parsis han hecho grandes fortunas en la India, en el comercio del algodón, entre ellos sir James Jejeebhoy, ennoblecido por el gobierno inglés, que vivía en Bombay y del que Aouda era pariente. Era precisamente un primo de sir Jejeebhoy, el honorable Jejeeh, con el que esperaba reunirse en Hong-Kong. ¿Hallaría junto a él refugio y asistencia? Ella no podía afirmarlo. A lo que Phileas Fogg arguyó que no debía preocuparse, que todo se arreglaría matemáticamente. Ésa fue su expresión. Comprendiera o no tan horrible adverbio, la joven hundió sus grandes ojos –«límpidos como los lagos sagrados del Himalaya»– en los de Phileas Fogg. Pero el inaccesible Fogg, tan hermético como siempre, no parecía ser hombre dispuesto a lanzarse a ese lago.

La primera parte de la travesía del *Rangoon* transcurrió en las excelentes condiciones de un tiempo bonancible. La parte de la inmensa bahía que los marinos llaman «los brazos del Bengala» se mostró favorable a la navegación. No tardaron en pasar ante la Gran Andaman, la mayor isla del archipiélago de su nombre, que los navegantes ven desde muy lejos por la altitud, dos mil cuatrocientos pies, de su pintoresca montaña de Saddle-Peak. El *Rangoon* costeó la isla desde muy cerca. Los salvajes papúes de la isla, seres colocados en el último grado de la escala humana pero no antropófagos como se ha dicho sin fundamento, no se mostraron ante los pasajeros.

El panorama ofrecido por las islas era soberbio, con sus inmensos bosques de palmeras, arecas, bambúes, mirísticas, tecas, mimosas gigantescas, y helechos arborescentes que cubrían el país en primer plano, con la silueta de las montañas perfilándose al fondo. Sobre la costa pululaban por millares esas preciosas salanganas cuyos nidos comestibles son uno de los manjares más apreciados en el Celeste Imperio. Pero el variado espectáculo ofrecido por el archipiélago de las Andaman no tardó en desaparecer, y el *Rangoon* se dirigió rápidamente hacia el estrecho de Malaca, que debía darle acceso a los mares de la China.

¿Qué hacía durante esta travesía el inspector Fix, tan forzosamente arrastrado a un viaje de circunnavegación?

Tras haber dejado instrucciones en Calcuta de que le expidieran a Hong-Kong la orden de arresto, había podido embarcarse en el *Rangoon* sin ser visto por Passepartout, a quien esperaba ocultar su presencia hasta la llegada del barco. En efecto, le hubiera sido difícil explicar la razón de su presencia a bordo sin despertar las sospechas de Passepartout, que debía creerlo en Bombay. Pero, por la lógica misma de las circunstancias, se vio obligado a reanudar sus relaciones con él.

Todos los deseos y esperanzas del inspector de policía se concentraban ahora en un solo punto del mundo, en Hong-Kong, ya que la escala del barco en Singapur sería demasiado breve para que él pudiera operar en esa ciudad. Así, pues, si no podía detener al ladrón en Hong-Kong, éste se le escaparía irremisiblemente.

Hong-Kong era, en efecto, el último territorio inglés del itinerario. Más allá, China, Japón, América ofrecían un refugio seguro a Phileas Fogg. Si hallaba en Hong-Kong la orden de arresto que, sin duda, corría tras él, detendría a Fogg y lo entregaría a la policía local. Ninguna dificultad. Pero más allá de Hong-Kong no bastaría una simple orden de arresto, sino que haría falta un acta de extradición, con los retrasos, lentitudes y obstáculos de toda índole que ello supondría y que aprovecharía el ladrón para escapar. Así, pues, si la operación fallaba en Hong-Kong, sería muy difícil, si no imposible, intentarla luego con probabilidades de éxito.

«De modo –se decía Fix en su encierro en el camarote– que o bien la orden llega a Hong-Kong y detengo a mi hombre, o bien si no ha llegado tengo que hacer lo imposible para retrasar su partida. He fracasado en Bombay y en Calcuta. Si fracaso en Hong-Kong, perderé mi reputación. Debo lograrlo cueste lo que cueste. Pero ¿qué medio emplear para retrasar, si es necesario, la partida de este maldito Fogg?»

En última instancia, Fix se hallaba decidido a confesar todo a Passepartout, a hacerle saber quién era el hombre al que servía, porque, de ello estaba convencido, el buen muchacho no era cómplice. Ante esa revelación y temeroso de verse comprometido, Passepartout no tendría más remedio que aliarse con él. Pero era un recurso arriesgado, a emplear tan sólo en última instancia y a falta de otro mejor. Pues bastaría que Passepartout dijera una sola palabra a Fogg para arruinar irrevocablemente el proyecto.

El inspector de policía se hallaba sumido en la mayor confusión, cuando la presencia de Aouda a bordo del *Rangoon,* en compañía de Phileas Fogg, le abrió nuevas perspectivas.

¿Quién era esa mujer? ¿Qué concurso de circunstancias había hecho de ella la compañera de Fogg? Su encuentro había debido tener lugar entre Bombay y Calcuta, evidentemente, pero ¿dónde? ¿Era el solo azar lo que había reunido a Phileas Fogg y a la joven pasajera? O por el contrario, ¿no habría emprendido Fogg ese viaje a través de la India con el fin de reunirse con aquella encantadora joven? Porque era realmente encantadora. Fix había podido advertirlo en la sala de audiencias del tribunal de Calcuta.

El agente se hallaba sumamente intrigado. Se le ocurrió pensar en un rapto criminal. ¡Sí, eso era, sin duda! La idea se incrustó en el cerebro de Fix, que veía en ella la posibilidad de sacarle un excelente partido. Pues el secuestro de la joven, fuese o no casada, le permitiría causar tales dificultades al raptor, en Hong-Kong, que no podría esa vez zafarse de ellas a fuerza de dinero. Pero no había que aguardar la llegada del *Rangoon* a Hong-Kong, pues la detestable manía de Fogg de saltar de un barco a otro podía alejarle antes incluso de que se presentara la denuncia. Necesario para ello era alertar a las autoridades inglesas y señalar el paso del *Rangoon* antes de su desembarco. Fácil era hacerlo así, puesto que el buque hacía escala en Singapur, unida telegráficamente a Hong-Kong.

No obstante, antes de actuar y a fin de operar con mayor seguridad, Fix decidió interrogar a Passepartout. Sabía ya por experiencia cuán fácil era hacer hablar al muchacho, y eso le determinó a romper la situación de incógnito en que se había mantenido a bordo hasta entonces. No había tiempo que perder, además, pues estaban a 30 de octubre y el *Rangoon* debía fondear en Singapur al día siguiente.

Abandonó, pues, aquel mismo día su camarote y subió a cubierta con la intención de abordar a Passepartout simulando una gran sorpresa. Passepartout se hallaba paseando por la proa cuando vio al inspector precipitarse hacia él, gritando:

–¡Usted en el *Rangoon*!

–¡Usted, señor Fix, aquí! ¿Cómo? Le dejo en Bombay y le encuentro en ruta hacia Hong-Kong. ¿Es que está usted dando también la vuelta al mundo?

–No, no, espero detenerme en Hong-Kong, al menos por unos días.

–¡Ah! –dijo Passepartout, asombrado–. Pero ¿cómo es que no le he visto a bordo desde que salimos de Calcuta?

–Es que no me encontraba bien... El mareo... Me he quedado todo el tiempo en mi camarote... El golfo de Bengala me ha tratado peor que el Índico. ¿Y cómo está el señor Fogg?

–Perfectamente, como un reloj. Tan puntual como su itinerario. Ni un día de retraso. ¡Ah! señor Fix, ignora usted que ahora viene una señora con nosotros.

–¿Una señora? –preguntó el agente, que simulaba a la perfección no comprender en absoluto lo que oía.

Passepartout le puso en seguida al corriente de lo sucedido. Le contó el incidente de la pagoda de Bombay, la adquisición del elefante por dos mil libras, el caso del *sutty,* el rapto de Aouda, la condena del tribunal de Calcuta y la libertad bajo fianza. Fix extremaba sus exclamaciones de sorpresa, incluso ante lo que ya sabía, y Passepartout se complacía en narrar sus aventuras ante un auditor que le manifestaba tanto interés.

–Pero ¿es que el señor Foog tiene la intención de llevar consigo a esta señora a Europa?

–No, señor Fix. Vamos a confiarla a uno de sus parientes, un rico comerciante de Hong-Kong.

«No hay nada que hacer», se dijo el detective, disimulando su contrariedad.

–¿Qué le parecería una copita de ginebra, señor Passepartout?

–Con mucho gusto, señor Fix. Vamos a celebrar nuestro encuentro a bordo del *Rangoon.*

Capítulo 17
Que trata de unas y otras cosas
durante la travesía de Singapur a Hong-Kong

Desde ese día, Passepartout y el policía se encontraron con frecuencia, pero ya Fix se mostró siempre más reservado y se abstuvo de tirarle de la lengua. Tan sólo una o dos veces entrevió a Phileas Fogg, quien permanecía a menudo en el gran salón del *Rangoon,* bien haciendo compañía a Aouda, bien jugando al *whist,* según su invariable costumbre.

A Passepartout había empezado ya a darle que pensar ese singular azar que ponía una vez más a Fix en su camino. Era muy extraño, en efecto. Ese caballero tan amable y complaciente al que encuentra en Suez, que se embarca en el *Mongolia,* que desembarca en Bombay, donde dice que va a permanecer, al que halla de nuevo en el *Rangoon* en ruta hacia Hong-Kong; en una palabra, ese hombre que sigue paso a paso el itinerario de Phileas Fogg, daba que pensar. Era una serie de coincidencias más bien extrañas. ¿Qué pretendía Fix? Passepartout habría apostado sus babuchas, que conservaba como un bien precioso, a que Fix saldría de Hong-Kong al mismo tiempo que ellos y probablemente en el mismo barco.

Aunque hubiese reflexionado durante un siglo, no hubiera podido Passepartout adivinar la misión de que el agente estaba investido, pues jamás hubiera imaginado que Phileas

Tan sólo una o dos veces entrevió a Phileas Fogg

Fogg pudiera ser seguido como un ladrón alrededor del globo terrestre. Pero como está inscrita en la naturaleza humana la exigencia de hallar respuesta a todo, he aquí cómo Passepartout, súbitamente iluminado, interpretó la permanente presencia de Fix, y en verdad que su interpretación era muy plausible. Según su teoría, Fix no era ni podía ser más que un agente lanzado en pos de Phileas Fogg por sus compañeros del Reform-Club, a fin de comprobar que el viaje discurría regularmente alrededor del mundo y según el itinerario convenido. «Es evidente, es evidente», se repetía el muchacho, orgulloso de su perspicacia. «Es un espía enviado tras nosotros por esos caballeros. Eso no es digno. ¡Hacer espiar por un agente a un hombre tan probo, tan honorable como el señor Fogg! ¡Ah, eso va a costarles caro, señores del Reform-Club!»

Encantado de su descubrimiento, Passepartout decidió, no obstante, no revelárselo al señor Fogg, evitándole así la herida que habría de causarle la desconfianza de sus adversarios. Pero se prometió, en cambio, burlarse de Fix a la primera ocasión, con veladas alusiones y sin comprometerse.

El miércoles 30 de octubre, por la tarde, el *Rangoon* entraba en el estrecho de Malaca, que separa la península de su nombre de las tierras de Sumatra. Islotes montañosos, muy escarpados y pintorescos, impedían a los pasajeros la visión de la gran isla.

Al día siguiente, a las cuatro de la mañana, con media jornada de adelanto sobre su horario establecido, el *Rangoon* fondeó en Singapur para renovar sus provisiones de carbón.

Phileas Fogg anotó el adelanto en la columna de las ganancias. Esa vez desembarcó para hacer compañía a Aouda, que había manifestado el deseo de pasearse por la ciudad.

Fix, a quien parecía sospechosa toda acción de Fogg, le siguió discretamente. Passepartout, que se reía *in petto* al ver la maniobra de Fix, fue a hacer sus compras como de costumbre.

El aspecto de la isla de Singapur no es grande ni imponente, al faltarle los perfiles de las montañas, pero es muy bonita en su pequeñez. Es un parque cortado por magníficas carreteras.

Un curioso carruaje, tirado por esos elegantes caballos que se importan de la Nueva Holanda, trasladó a Aouda y a Phileas Fogg entre macizos de palmeras de brillantes hojas y de claveros, cuya especie, el clavo, está formado por el mismo capullo de la flor entreabierta. Allí los arbustos del pimentero reemplazan a las cambroneras de las campiñas europeas; los sagús, con sus ramas soberbias y sus hojas parecidas a la de los helechos, diversificaban el aspecto de esta región tropical; las mirísticas de hojas brillantes saturaban el aire de un penetrante perfume. Los monos, en bandas alertas y gesticulantes, no faltaban en los bosques, ni quizás los tigres en las junglas. Podrá sorprender que los terribles carniceros no hayan sido eliminados en una isla tan pequeña relativamente, pero ello se explica por el hecho de que vienen de Malaca, atravesando el estrecho a nado.

Tras haber paseado durante dos horas por el campo, Aouda y su compañero, que miraba distraídamente todo, sin verlo, regresaron a la ciudad, vasta aglomeración de casas bajas y pesadas rodeadas de hermosos jardines en que se cultivan los mangostanes, piñas y las mejores frutas del mundo.

A las diez volvieron al barco, seguidos, sin darse cuenta, por el inspector, quien había debido tomar un coche a su vez.

Passepartout les esperaba en la cubierta del *Rangoon*. El muchacho había comprado unas docenas de mangostanes, del tamaño de una manzana, de color marrón oscuro por fuera y de un rojo brillante por dentro, cuyo sabor, al fundirse el fruto en la boca, procura al verdadero goloso un placer sin igual. Passepartout se los ofreció a Aouda, quien le expresó su reconocimiento con suma gracia.

Pero es muy bonita en su pequeñez

A las once, el *Rangoon,* hechas ya sus provisiones de carbón, largó sus amarras y, unas horas después, los pasajeros perdían de vista las altas montañas de Malaca, cuyas selvas sirven de morada a los más bellos tigres de la tierra.

Unas mil trescientas millas separan Singapur de la isla de Hong-Kong, pequeño territorio inglés separado de la costa china. Phileas Fogg tenía mucho interés en recorrerlas en seis días como máximo, para poder tomar en Hong-Kong el barco que debía zarpar de allí el 6 de noviembre, hacia Yokohama, uno de los principales puertos del Japón.

El pasaje del *Rangoon* había aumentado considerablemente, al haber embarcado en Singapur un buen número de hindúes, ceilandeses, chinos, malayos y portugueses, que en su mayoría viajaban en segunda clase.

El tiempo, bastante bueno hasta entonces, cambió con el último cuarto de luna. Hubo una fuerte marejada. El viento arreció, pero afortunadamente por el sudeste, lo que favorecía la marcha del barco. Siempre que era posible, el capitán hacía desplegar el velamen. El *Rangoon,* aparejado en bergantín, navegó a menudo con sus dos gavias y su mesana, aumentando así su velocidad bajo la doble acción del vapor y del viento. Así es como se costearon, en muy penosas condiciones, los territorios de Anam y de Cochinchina. Pero la culpa de ello era más imputable al barco que al mar, y los sufrimientos de los pasajeros, mareados en su mayor parte, debían ser atribuidos al *Rangoon.*

En efecto, los navíos de la Compañía Peninsular, en servicio en los mares de China, tienen un serio defecto de construcción. La relación de su calado, en carga, con su arqueo ha sido mal calculada y por ello ofrecen muy poca resistencia al mar. Su volumen, cerrado, impenetrable al agua, es insuficiente. Se ven «ahogados», por emplear la expresión marinera, y a causa de esta disposición bastan unas cuantas olas introducidas a bordo para modificar su marcha. Esos barcos son muy inferiores, si no por sus máquinas sí por su construcción, a los de las mensajerías francesas, tales como el *Imperatrice* y el *Cambodge*. Según los cálculos de los ingenieros, estos últimos pueden embarcar un peso de agua igual a su propio peso antes de hundirse, en tanto que los barcos de la Compañía Peninsular, el *Golgonda,* el *Corea* y el *Rangoon* no podrían embarcar una sexta parte de su peso sin irse a pique.

El mal tiempo obligaba en esas circunstancias a adoptar grandes precauciones. A veces, había que estarse a la capa y a poca presión, lo que tenía por resultado una pérdida de tiempo que no parecía afectar a Phileas Fogg pero que irritaba en sumo grado a Passepartout, quien hacía responsables al capitán, al maquinista y a la compañía, antes de enviar al diablo a todos los transportistas. Puede que influyera también en su impaciencia el obsesivo recuerdo de esa luz de gas que continuaba ardiendo por su cuenta en la casa de Saville-row.

–Pero ¿tanta prisa tiene usted por llegar a Hong-Kong? –le preguntó en cierta ocasión el detective.

–¡Mucha prisa! –respondió Passepartout.

–¿Piensa usted que el señor Fogg tiene prisa por embarcarse en el paquebote de Yokohama?

–Una prisa terrible.

–Entonces, ¿cree usted ahora en ese singular viaje alrededor del mundo?

–Absolutamente. ¿Y usted, señor Fix?

–¿Yo? No, no creo.

–Es usted un bromista –le respondió Passepartout, guiñándole un ojo.

Esta respuesta dejó pensativo al policía. Le inquietó ese calificativo, sin saber por qué. ¿Habría descubierto su condición el francés? No sabía a qué atenerse, aunque dudaba de que Passepartout hubiera podido descubrirla. Y, sin embargo, al hablarle así, Passepartout lo había hecho sin duda con una segunda intención.

Otro día, el muchacho llegó incluso más lejos. Pese a sus propósitos, incapaz como era de contener su lengua, le dijo, en un tono cargado de malicia:

–Señor Fix, dígame, una vez llegados a Hong-Kong, ¿tendremos la desgracia de abandonarle allí?

–Pues, no sé... Quizás... –balbuceó Fix, desconcertado.

–¡Ah! Me sentiría muy dichoso de que nos acompañara usted! ¡Vaya! Un agente de la Compañía Peninsular no puede detenerse en el camino. No iba usted más que a Bombay, y helo aquí ya muy pronto en China. América no está lejos, y de América a Europa no hay más que un paso.

Fix miró atentamente a su interlocutor, que le mostraba la expresión más ingenua y amable, y adoptó finalmente el partido de reír con él. Pero éste, que se hallaba en vena, le preguntó a renglón seguido si «ese oficio le daba mucho dinero».

–Sí y no –respondió Fix, sin pestañear–. Hay negocios buenos y malos. Pero comprenderá usted que no viajo a mis expensas.

–¡Oh! De eso estoy seguro –exclamó, riendo, Passepartout.

Terminada la conversación, Fix retornó a su camarote, pensativo. Era evidente que, de un modo u otro, el francés le había desenmascarado. Pero ¿se lo habría dicho a Phileas Fogg? ¿Y qué papel desempeñaba el muchacho en todo eso? ¿Era cómplice o no? ¿Había dado al traste con su misión su desenmascaramiento? Fix pasó unas horas difíciles, entre el desánimo de creerlo todo perdido y la esperanza de que Fogg ignorara la situación, y sin saber qué partido tomar. Por fin, se calmó y resolvió actuar francamente con Passepartout. Si no podía detener a Fogg en Hong-Kong, si no podía evitar que éste dejase definitivamente el territorio inglés, se lo diría todo a Passepartout. O bien él era cómplice de Phileas Fogg, en cuyo caso éste lo sabía todo y el asunto se presentaba mal, o bien no tenía responsabilidad alguna y entonces el interés del muchacho estribaría en abandonar al ladrón a su suerte.

Tal era, pues, la situación respectiva de estos dos hombres, sobre los que Phileas Fogg planeaba en su majestuosa indiferencia describiendo racionalmente su órbita alrededor del mundo sin preocuparse de los asteroides que gravitaban en torno suyo.

Había, sin embargo, en las inmediaciones, según la expresión de los astrónomos, un astro perturbador que hubiera debido producir ciertas turbaciones en el corazón del original *gentleman*. Pero no era así. El encanto de Aouda no actuaba sobre Phileas Fogg, con gran sorpresa de Passepartout, y de existir esas perturbaciones habrían sido más difíciles de calcular que las sufridas por Urano, que determinaron el descubrimiento de Neptuno.

Esa indiferencia de Fogg constituía motivo de asombro cotidiano para Passepartout, que sabía leer en los ojos de la joven el desbordamiento de la gratitud que profesaba a su salvador. Decididamente, Phileas Fogg tenía sólo el corazón suficiente para conducirse con heroísmo, pero no para el amor, no.

En cuanto a las preocupaciones que los incidentes del viaje pudieran suscitar en él no se veía el menor indicio, en contraposición a las que continuamente manifestaba Passepartout con la mayor vehemencia. Un día contemplaba en el cuarto de máquinas cómo la poderosa maquinaria multiplicaba sus revoluciones, cuando un violento movimiento de cabeceo hacía salir a la hélice del agua. En uno de esos momentos vio cómo el vapor se escapaba por las válvulas, y se encolerizó: «Estas válvulas no están suficientemente cargadas –exclamó–. No andamos. ¡Ingleses tenían que ser! ¡Si estuviéramos en un barco americano, saltaríamos quizás, pero iríamos más de prisa!»

Capítulo 18
En el que Phileas Fogg, Passepartout y Fix, cada uno por su lado, van a lo suyo

El tiempo fue bastante malo durante los últimos días de la travesía. Un viento muy fuerte del noroeste contrarió la marcha del paquebote, al que sometió a un fuerte balanceo que la inestabilidad del *Rangoon* agravaba considerablemente. Los pasajeros tuvieron motivos para guardar rencor a las grandes olas que el viento levantaba.

Esas condiciones viraron a la tempestad durante las jornadas del 3 y 4 de noviembre. La borrasca encrespó el mar con vehemencia. El *Rangoon* tuvo que estarse a la capa durante medio día, manteniéndose con diez vueltas de hélice solamente a fin de tomar las olas al sesgo. Se arriaron todas las velas, y aún sobraban todos esos aparejos que silbaban al paso de las ráfagas.

La velocidad del paquebote se vio notablemente disminuida, hasta el punto de que se estimó que la llegada a Hong-Kong se retrasaría en veinte horas sobre el plan establecido, y aún más si no cesaba la tempestad.

Phileas Fogg asistía con su habitual impasibilidad al espectáculo de un mar furioso, que parecía luchar directamente contra él. Su frente no se ensombreció, pese a que un retraso de veinte horas podía comprometer irremisiblemen-

te su viaje, al hacerle perder el barco que salía hacia Yokohama. Pero ese hombre sin nervios no sentía ni impaciencia ni
disgusto. Se hubiera dicho que esa tempestad figuraba en su
programa, que estaba prevista. Aouda, que le interrogó sobre ese contratiempo, le halló tan tranquilo como siempre.

Fix no veía las cosas del mismo modo, muy al contrario.
Esa tempestad le llenaba de satisfacción. Y este sentimiento
se haría desbordante si el *Rangoon* se viera obligado a huir
de la tormenta. Todos los retrasos eran acogidos por él con
placer, puesto que obligarían a Fogg a permanecer algunos
días en Hong-Kong. Al fin, el cielo, con sus ráfagas y borrascas, se ponía de su parte. Cierto es que iba mareado, pero
¡qué importaba eso! Acometido por las náuseas, su cuerpo
se retorcía de dolor pero su espíritu se hallaba lleno de gozo.

Passepartout arrostró aquella prueba con una cólera no
disimulada. ¡Todo había ido tan bien hasta entonces! La tierra y el agua parecían haberse concertado al servicio de Phileas Fogg, ante quien barcos y trenes, vientos y vapor, se
habían mostrado como sumisos colaboradores. ¿Había so-
nado la hora de las contrariedades? Passepartout se desvivía
en su desasosiego, como si las veinte mil libras de la apuesta
debiesen salir de su bolsillo. La tempestad le exasperaba, el
viento le enfurecía, y de buena gana habría azotado al mar
insumiso. ¡Pobre muchacho! Fix se abstuvo prudentemente
de mostrarle su satisfacción, e hizo bien, pues si Passepartout hubiera podido adivinar la secreta alegría de Fix le hubiera hecho pasar un mal rato.

Passepartout permaneció en cubierta durante toda la borrasca. Le hubiera sido imposible estar abajo. Trepaba a los
mástiles, ayudando a la tripulación, a la que asombraba con
su agilidad simiesca. Una y otra vez interrogaba al capitán, a
los oficiales y a los marineros, que no podían impedir reír al
verlo tan desquiciado. Passepartout quería absolutamente
saber cuánto tiempo podía durar la tempestad. Indefectible-
mente se le orientaba a un barómetro que no se decidía a su-

Ayudando a la tripulación, a la que asombraba

bir. Passepartout sacudía el barómetro, pero éste se mostraba insensible a las sacudidas y a las injurias con que lo abrumaba.

Al fin, se apaciguó la tormenta. El estado del mar se modificó en la jornada del 4 de noviembre. El viento cambió al sur y se tornó favorable, serenando el ánimo de Passepartout. Se desplegaron nuevamente las gavias y los foques y el *Rangoon* prosiguió su marcha con una maravillosa velocidad. Mas imposible era ya recuperar todo el tiempo perdido. Así, se anunció tierra el día 6, a las cinco de la mañana. El itinerario de Phileas Fogg señalaba la llegada del paquebote en el día 5. El retraso era, pues, de veinticuatro horas, lo que significaba la pérdida del enlace con Yokohama.

A las seis, subió el práctico a bordo del *Rangoon* y se instaló en el puente de mando para dirigir la maniobra de entrada en el puerto de Hong-Kong.

Passepartout se moría de ganas de interrogar al práctico, de preguntarle si el barco de Yokohama había zarpado ya de Hong-Kong. Pero no se atrevía a hacerlo, por no perder hasta el último momento una última y débil esperanza. Había hecho partícipe de su inquietud a Fix, quien hipócritamente intentaba consolarle diciéndole que Fogg podría tomar el próximo barco. Mas, lejos de consolarle, esto exasperó aún más a Passepartout.

Pero si éste no se arriesgó a interrogar al piloto, sí lo hizo Phileas Fogg. Tras haber consultado su *Bradshaw,* Fogg, perfectamente tranquilo, preguntó al práctico cuándo saldría el primer barco hacia Yokohama.

–Mañana, con la primera marea –respondió el piloto.

–¡Ah! –exclamó Fogg, sin manifestar mayor asombro.

Passepartout estuvo tentado de abrazar al piloto, como Fix de extrangularlo.

–¿Cómo se llama ese barco? –preguntó Fogg.

–El *Carnatic* –respondió el piloto.

–¿No era ayer cuando debía zarpar?

–Sí, señor, pero tuvo que hacer reparar una de sus calderas, y su partida ha sido aplazada a mañana.

–Muchas gracias –dijo Fogg, tras de lo que descendió, con su paso automático, al salón del *Rangoon.*

Passepartout se apoderó de la mano del práctico y se la estrechó vigorosamente.

–Piloto, es usted formidable.

El piloto no sabría nunca por qué sus respuestas le habían valido tan amistosa expresión. A un golpe de silbato, ocupó su puesto y dirigió el paso del barco entre las flotillas de juncos, de *tankas,* de barcos de pesca y embarcaciones de todas clases fondeados en el puerto de Hong-Kong. A la una ya había atracado el *Rangoon* y los pasajeros comenzaron a desembarcar.

El azar se había mostrado en esta ocasión particularmente propicio para Phileas Fogg. Sin la necesidad de reparar las calderas, el *Carnatic* habría partido el día anterior y los viajeros para el Japón habrían debido esperar ocho días para tomar el barco siguiente. Cierto es que Fogg llevaba un retraso de veinticuatro horas, pero ese retraso no era grave, pues el barco que atraviesa el Pacífico, desde Yokohama a San Francisco, estaba en correspondencia directa con el paquebote de Hong-Kong y no podía partir antes de la llegada de éste. Cierto era que la llegada a Yokohama se produciría con veinticuatro horas de retraso, pero esta demora podía ser subsanada durante los veintidós días que dura la travesía del Pacífico. Treinta y cinco días después de su partida de Londres, Phileas Fogg se mantenía en los límites de su programa, con una diferencia de veinticuatro horas tan sólo.

Al no salir el *Carnatic* hasta el día siguiente a las cinco, Fogg disponía de dieciséis horas para ocuparse de sus asuntos, es decir de los de Aouda. Al desembarcar, ofreció su brazo a Aouda y la condujo hacia un palanquín, a cuyos portadores les pidió que le indicaran un hotel. Habiéndole designado éstos el Hotel del Club, se encaminaron hacia él seguidos de Passepartout y veinte minutos después hacían su llegada.

Tras haber instalado a la joven y cuidar de que no le faltara nada, Phileas Fogg le dijo que iba a ponerse inmediatamente en busca del pariente que debía acogerla en Hong-Kong. Al mismo tiempo dio instrucciones a Passepartout de permanecer en el hotel hasta su regreso, haciendo compañía a la joven.

Fogg se hizo conducir a la Bolsa, donde un personaje como el honorable Jejeeh, uno de los más ricos comerciantes de la ciudad, debía ser indudablemente bien conocido. El corredor al que se dirigió Fogg conocía, en efecto, al comerciante parsi. Éste se hallaba ausente de China desde hacía dos años. Hecha su fortuna, se había establecido en Europa, seguramente en Holanda, dadas las relaciones mantenidas con este país durante sus actividades comerciales en Hong-Kong.

Phileas Fogg regresó al Hotel del Club, donde inmediatamente solicitó de Aouda que le recibiera. Sin más preámbulo, le anunció que el honorable Jejeeh no residía ya en Hong-Kong sino muy probablemente en Holanda.

Aouda no dijo nada. Se pasó la mano por la frente y reflexionó durante unos instantes, antes de preguntar dulcemente:

–¿Qué debo hacer, señor Fogg?

–Es muy sencillo, ir a Europa.

–Pero, yo no puedo abusar...

–No hay abuso alguno. Su compañía no altera en nada mi programa... Passepartout.

–Diga, señor.

–Vaya al *Carnatic* y reserve tres camarotes.

Encantado de proseguir su viaje en compañía de la joven, que le parecía muy agradable, Passepartout salió del Hotel del Club.

Capítulo 19

En el que Passepartourt demuestra su fidelidad a Phileas Fogg, y lo que de ello se sigue

Hong-Kong no es más que un islote cuya posesión quedó atribuida a Inglaterra por el tratado de Nankín concertado al fin de la guerra de 1842. El genio colonizador de la Gran Bretaña hizo de él en algunos años una importante ciudad con un gran puerto, el puerto Victoria. La isla está situada en la desembocadura del río de Cantón, frente a la ciudad portuguesa de Macao, erigida en la otra orilla, de la que le separan sesenta millas tan sólo. Hong-Kong debía vencer necesariamente a Macao en la lucha comercial, y ahora la mayor parte del tráfico chino se efectúa por la ciudad inglesa. Los muelles, los hospitales, los almacenes, la catedral gótica, el palacio del gobierno, las calles asfaltadas, todo invitaba a creer que una de las ciudades comerciales de los condados de Kent o de Surrey, atravesando la esfera terrestre, hubiera resurgido en ese punto de China, casi en sus antípodas.

Passepartout, con las manos en los bolsillos, se dirigía hacia el puerto Victoria mirando los palanquines, las carretillas de vela, todavía en uso en el Celeste Imperio, y la muchedumbre de chinos, de japoneses y de europeos que circulaban por las calles. Era, poco más o menos, una reproducción de Bombay, de Calcuta o de Singapur lo que hallaba el muchacho en su recorrido. Hay como un reguero de ciudades inglesas así edificadas en todo el mundo.

Passepartout llegó al puerto Victoria. Allí, en la desembocadura del río de Cantón, hormigueaban los barcos de todas las nacionalidades: ingleses, franceses, americanos, holandeses... barcos de guerra y mercantes, embarcaciones chinas y japonesas, juncos, sampáns, tankas, y hasta barcos de flores que formaban jardines flotantes. En su paseo, Passepartout vio un cierto número de indígenas vestidos de amarillo, todos de edad muy avanzada. En una barbería china, en la que entró para hacerse afeitar «a la china», supo por el barbero, que hablaba un excelente inglés, que esos viejos tenían por lo menos ochenta años, y que a esa edad tenían el privilegio de poder usar el color amarillo, que es el color imperial. Passepartout lo encontró muy divertido, sin saber realmente por qué.

Ya afeitado, se dirigió al muelle de embarque del *Carnatic,* en el que, sin sorpresa por su parte, vio a Fix pasearse de un lado a otro. El inspector de policía mostraba en su rostro los signos de una viva contrariedad.

«¡Vaya! –se dijo Passepartout–, esto va mal para los *gentlemen* del Reform-Club.»

Se acercó a Fix con una alegre sonrisa, aparentando no darse cuenta del estado de ánimo de su compañero.

El agente tenía buenas razones para maldecir la infernal suerte que le perseguía. ¡La orden de arresto tampoco había llegado allí! Era evidente que la orden corría tras él y que no llegaría a su poder si no permanecía algunos días más en la ciudad. Y por ser Hong-Kong el último territorio inglés del itinerario, el señor Fogg iba a escapársele definitivamente si no conseguía retenerlo.

–Así que, señor Fix, ¿está decidido a venir con nosotros hasta América?

–Sí –contexto Fix, apretando los dientes.

Passepartout vio un cierto número de indígenas

–¡Vamos, hombre! –dijo Passepartout, soltando una carcajada–. Ya sabía yo que no podría usted separarse de nosotros. Venga a reservar su pasaje.

Entraron los dos en la oficina de transportes marítimos y reservaron camarotes para cuatro personas. El empleado les anunció entonces que, terminadas ya las reparaciones, el *Carnatic* zarparía esa misma tarde a las ocho y no al día siguiente por la mañana, como se había dicho.

–Muy bien. Esto le gustará al señor Fogg –dijo Passepartout–. Voy a avisarle.

En aquel momento, Fix se decidió a apelar al recurso supremo de decírselo todo a Passepartout, convencido ya de que era el único medio que le quedaba para retener a Phileas Fogg durante unos días en Hong-Kong. Al salir de la oficina de la naviera, Fix invitó a su compañero a tomar una copa en una taberna. Passepartout tenía tiempo por delante y aceptó la invitación.

Había una en el muelle, de aspecto acogedor, y ambos entraron. Era una vasta sala bien decorada, al fondo de la cual se extendía un lecho de campaña con cojines, sobre el que yacían alineados varios durmientes. En torno a unas pequeñas mesas de junco entrelazado había unos treinta consumidores, algunos de los cuales bebían cerveza inglesa, ale o porter, y otros ginebra o brandy. La mayor parte de ellos fumaban en largas pipas de barro cocido, atiborradas de bolitas de opio impregnadas de esencia de rosas. De vez en cuando, un fumador se caía al suelo, y los mozos del establecimiento lo arrastraban hacia el lecho. Había ya una veintena de borrachos apilados, en el último grado del embrutecimiento.

Fix y Passepartout se dieron cuenta de que habían entrado en un fumadero, frecuentado por esos miserables, embrutecidos y degenerados a los que la mercantil Inglaterra vende esa funesta droga del opio por un importe anual de doscientos sesenta millones de francos. Tristes millones esos obtenidos de la explotación de uno de los más terribles vicios de la naturaleza humana. El gobierno chino ha tratado inútilmente de oponerse a tal abuso por medio de leyes severas. Inicialmente reservado a la clase rica, el uso del opio ha descendido a las clases pobres y sus estragos se han hecho incontenibles. Se fuma opio en todas partes, en China; hombres y mujeres se dan por igual a tan deplorable pasión, y cuando ya se hallan acostumbrados a sus inhalaciones no pueden prescindir del opio sin sufrir horribles contracciones estomacales. Un gran fumador puede fumar hasta ocho pipas diarias, pero se muere en cinco años.

Era en uno de esos fumaderos, que abundan incluso en Hong-Kong, donde habían entrado Fix y Passepartout con la intención de tomar un vaso. Passepartout no tenía dinero y aceptó complacido la invitación de su compañero, dispuesto a corresponder con él en otra ocasión.

Pidieron dos botellas de oporto, a las que el francés hizo los debidos honores, en tanto que Fix, más reservado, observaba a su compañero con una extremada atención. Hablaron de diferentes cosas, y sobre todo de la excelente idea que había tenido Fix de embarcarse en el *Carnatic*. La mención del barco, cuya partida había sido anticipada en algunas horas, hizo levantarse a Passepartout, acabadas ya las botellas, con la intención de ir a avisar a Phileas Fogg. Pero Fix le retuvo.

–Un instante.

–¿Qué quiere usted, señor Fix?

–Tengo que hablar con usted de cosas muy serias.

–¡De cosas muy serias! –exclamó Passepartout, tras vaciar las últimas gotas de vino que quedaban en el fondo de su vaso–. Pues bien, hablaremos mañana. Hoy no tengo tiempo.

–Quédese. Se trata del señor Fogg.

Passepartout miró atentamente a su interlocutor, cuya expresión le pareció muy singular, y se sentó.

–¿Qué es lo que tiene que decirme?

Fix apoyó su mano en el brazo del muchacho y dijo, bajando la voz:

–¿Ha adivinado quién soy?

–¡Pardiez! –dijo Passepartout, sonriendo.

–Entonces, voy a confesárselo...

–Ahora que lo sé todo, compadre... Un poco tarde, pero, en fin, comience. Pero, antes, déjeme decirle que esos caballeros están tirando el dinero inútilmente.

–¡Inútilmente! Habla usted con demasiada ligereza. Se ve bien que no conoce usted la importancia de la suma.

–¡Pues claro que la conozco! Veinte mil libras.

–Cincuenca y cinco mil –dijo Fix, apretando la mano del francés.

–¡Cómo! ¿El señor Fogg ha osado ir hasta... cincuenta y cinco mil libras?... Pues bien, razón de más para no perder un instante –añadió, levantándose de nuevo.

–Cincuenta y cinco mil libras –prosiguió Fix, quien forzó a Passepartout a sentarse, tras haber pedido un frasco de brandy–, y, si tengo éxito, me ganaré una prima de dos mil libras. ¿Aceptaría usted quinientas libras con la condición de ayudarme?

–¿Ayudarle? –preguntó, estupefacto, Passepartout.

–Sí, ayudarme a retener al señor Fogg durante algunos días en Hong-Kong.

–¿Cómo? ¿Qué dice usted? No contentos con hacer seguir al señor Fogg, con dudar de su lealtad, esos caballeros quieren ponerle obstáculos... ¡Es vergonzoso!

–¿Qué quiere usted decir? –preguntó, sorprendido, Fix.

–Quiero decir que es un procedimiento indigno, que más valía despojar al señor Fogg quitándole el dinero del bolsillo.

–De eso se trata precisamente, a eso es a lo que queremos llegar.

–Pero eso ¡es una trampa! –exclamó Passepartout, que se animaba bajo la influencia del brandy que le servía Fix y que bebía maquinalmente–. ¡Una verdadera trampa! ¡Y eso lo hacen unos caballeros! ¡Unos colegas!

Fix no comprendía.

–¡Unos hombres miembros, como él, del Reform-Club! Sepa usted, señor Fix, que el señor Fogg es un hombre honesto y que cuando hace una apuesta pretende ganarla con toda lealtad.

–Pero ¿quién se imagina usted que soy yo? –dijo Fix mirando fijamente a Passepartout.

–¡Pardiez! Un agente de los miembros del Reform-Club con la misión de controlar el itinerario del señor Fogg. ¡Lo que resulta humillante! Por esto precisamente me he guardado muy bien de revelarle al señor Fogg mi descubrimiento de su actividad.

–¿Él no sabe nada? –preguntó vivamente Fix.

–Nada –dijo Passepartout, vaciando de nuevo su vaso.

El inspector de policía se pasó la mano por la frente. Dudaba. ¿Qué debía hacer? El error de Passepartout parecía sincero, pero hacía aún más difícil su proyecto. Era evidente que el muchacho hablaba con una total buena fe y que no era cómplice de Fogg, como cabía temer.

«Pues bien –se dijo–, puesto que no es su cómplice me ayudará.»

Por segunda vez el detective se decidió a tomar partido. No había tiempo que perder. Había que detener a Fogg en Hong-Kong a toda costa.

–Escuche, escúcheme bien. Yo no soy lo que usted cree, yo no soy un agente de los miembros del Reform-Club.

–¡Vamos, vamos! –dijo Passepartout, mirándole burlonamente.

–Soy inspector de policía, encargado de una misión por la administración metropolitana.

–¡Usted! ¡Inspector de policía!

–Sí, y voy a probárselo. He aquí mis credenciales.

Y el agente, sacando un papel de su cartera, mostró al muchacho un documento firmado por el director de la policía central. Passepartout, atónito, contemplaba a Fix, sin poder articular palabra.

—Escuche, escúcheme bien

–La apuesta del señor Fogg no es más que un pretexto con el que ha embaucado tanto a sus colegas del Reform-Club como a usted, pues necesitaba asegurarse la inconsciente complicidad de usted.

–Pero ¿por qué?

–Escuche. El veintiocho de septiembre pasado se cometió un robo de cincuenta y cinco mil libras en el Banco de Inglaterra por un individuo cuya descripción coincide punto por punto con la que puede hacerse del señor Fogg.

–¡Vamos, hombre! –dijo Passepartout, dando un puñetazo en la mesa–. El señor Fogg es el hombre más honrado del mundo.

–¿Qué sabe usted? Usted no le conoce. Entró usted a su servicio el mismo día de su partida, el día en que se marcharon precipitadamente con un pretexto insensato, sin maletas y con una enorme suma de billetes. ¡Y osa usted sostener que es un hombre honrado!

–¡Sí! ¡Sí! –repetía maquinalmente el pobre muchacho.

–¿Es que quiere usted ser detenido como su cómplice?

La cabeza entre sus manos, Passepartout estaba irreconocible. No osaba mirar al inspector de policía. ¡Phileas Fogg un ladrón! ¡El salvador de Aouda, el hombre bueno y generoso! Y, sin embargo, ¡cuántas presunciones pesaban sobre él! Passepartout trataba de rechazar las sospechas que se deslizaban en su mente. No quería creer en su culpabilidad.

–En fin, ¿qué quiere usted de mí? –dijo al agente de policía, conteniéndose difícilmente.

–Lo que voy a decirle. He seguido hasta aquí al señor Fogg, pero aún no he recibido la orden de arresto que he pedido a Londres. Es necesario, pues, que me ayude usted a retenerle en Hong-Kong.

–¡Yo! ¡Que yo...?

–Si lo hace, compartiré con usted la prima de dos mil libras prometidas por el Banco de Inglaterra.

–¡Jamás! –respondió Passepartout, que quiso levantarse y cayó sobre su silla, sintiendo que la razón y sus fuerzas se le escapaban a la vez.

–Mire, señor Fix, aunque fuese verdad todo lo que me ha dicho, aunque el señor Fogg fuera el ladrón que usted busca..., lo que yo niego..., he estado..., estoy a su servicio..., le he visto bueno y generoso... Traicionarle..., jamás; no, ni por todo el oro del mundo...

–¿Rehúsa usted?

–Rehúso.

–Bien, digamos que no he dicho nada y bebamos.

–Bebamos.

Passepartout se sentía cada vez más ganado por la embriaguez. Fix pensó que había que separarle a toda costa de Fogg y decidió rematarlo. Había unas pipas cargadas de opio sobre la mesa. Fix puso una en la mano de Passepartout, que la tomó, la llevó a sus labios, la encendió, aspiró algunas bocanadas y cayó, aturdido por el narcótico.

«Bien –se dijo Fix al ver a Passepartout en ese estado–. El señor Fogg no recibirá a tiempo el aviso de la partida del *Carnatic,* y si se va, se irá al menos sin este maldito francés.»

Pagó la cuenta y se marchó.

Capítulo 20
En el que Fix entra directamente en relación con Phileas Fogg

Mientras se desarrollaba la escena descrita, que tan gravemente podía afectar a su futuro, Phileas Fogg acompañaba a Aouda por las calles de la ciudad. Al aceptar Aouda su oferta de conducirla a Europa, Fogg había tenido que pensar en las necesidades de la joven para tan largo viaje. Que un inglés como él diera la vuelta al mundo con un bolso en la mano podía pasar, pero una mujer no podía emprender semejante periplo en tales condiciones. Fogg se dedicó, pues, con la calma que le caracterizaba, a la metódica adquisición de los vestidos y objetos necesarios. A las objeciones y excusas de la joven viuda, confusa ante tanta generosidad, respondía él invariablemente:

–Lo hago en interés de mi viaje. Está en mi programa.

Acabadas las compras, regresaron al hotel y cenaron en una mesa suntuosamente servida. Aouda, un poco fatigada, subió luego a su habitación, tras haber estrechado «a la inglesa» la mano de su imperturbable salvador.

El honorable *gentleman* se absorbió durante toda la velada en la lectura del *Times* y del *Illustrated London News*.

Si hubiera sido hombre capaz de asombrarse de algo, lo habría estado al no ver aparecer a su sirviente a la hora de acostarse. Pero, sabiendo que el barco de Yokohama no salía de Hong-Kong hasta el día siguiente por la mañana, no se preocupó. Al día siguiente, Passepartout no acudió a su llamada.

Imposible es saber lo que pensó el honorable *gentleman* al enterarse de que su sirviente no había regresado al hotel. Se limitó a coger su bolso, a avisar a Aouda y a enviar a buscar un palanquín.

Eran las ocho y la pleamar de que debía aprovecharse el *Carnatic* para salir del puerto estaba anunciada para las nueve y media. Fogg y Aouda subieron a un palanquín. El equipaje fue transportado en una carretilla.

Media hora más tarde, los viajeros llegaban al muelle y recibían la noticia de que el *Carnatic* había zarpado la víspera. Fogg, que esperaba hallar a la vez el barco y su doméstico, se veía obligado a prescindir de uno y otro. Ningún signo de contrariedad se reflejó en su rostro, y como Aouda le mirara con inquietud, se limitó a decir:

–Es un simple incidente, señora, nada más.

En aquel momento, un personaje que le observaba atentamente se acercó a él. Era el inspector Fix, que le saludó y le dijo:

–¿No es usted, como yo, uno de los pasajeros del *Rangoon,* llegado ayer?

–Sí, señor –respondió fríamente Fogg–, pero no tengo el honor...

–Excúseme, pero creía encontrar aquí a su sirviente.

–¿Sabe usted dónde está? –preguntó vivamente Aouda.

–¡Cómo! –dijo Fix, fingiendo sorpresa–. ¿No está con ustedes?

–No –respondió Aouda–. No ha reaparecido desde ayer. ¿Se habrá embarcado sin nosotros en el *Carnatic*?

–¿Sin ustedes, señora?... Pero, excuse mi pregunta, ¿pensaban ustedes partir en ese barco?

–Sí, señor.

–Yo también, señora, y estoy muy contrariado. Terminadas sus reparaciones, el *Carnatic* salió ayer por la tarde, doce horas antes, sin avisar a nadie, y ahora habrá que esperar ocho días al próximo barco.

Al pronunciar esas palabras, «ocho días», Fix sentía su corazón saltar de alegría. ¡Ocho días! ¡Fogg retenido ocho días en Hong-Kong! Tiempo más que suficiente para recibir la orden de arresto. Al fin la suerte jugaba a favor del representante de la ley.

Fue como un mazazo para él oír a Phileas Fogg decir con su voz tranquila:

–Pero hay más barcos en el puerto de Hong-Kong, me parece.

Y Fogg, ofreciendo su brazo a Aouda, se dirigió hacia los muelles en busca de un barco que partiese hacia el Japón.

Fix, asombrado, le seguía, como si un hilo le ligase a ese hombre. Sin embargo, la suerte pareció abandonar al que hasta entonces había servido tan eficazmente. Durante tres horas, Phileas Fogg recorrió el puerto en todas direcciones, decidido incluso, si era necesario, a fletar un barco para transportarle a Yokohama, pero todos los barcos se hallaban en operaciones de carga y descarga y no podían, consecuentemente, aparejar.

Fix recobró la esperanza.

Fogg no desistía, sin embargo, y estaba dispuesto a continuar su búsqueda, aunque para ello tuviera que ir a Macao, cuando se le acercó un marino.

–¿El señor está buscando un barco? –le preguntó.

–¿Tiene usted uno dispuesto a partir?

–Sí, señor, un barco-piloto, el cuarenta y tres, el mejor de la flotilla.

–¿Navega bien?

–Hace de ocho a nueve millas aproximadamente. ¿Quiere usted verlo?

–Sí.

–¿El señor está buscando un barco?

–Le gustará al señor. ¿Se trata de un paseo?

–No. De un viaje.

–¿Un viaje?

–¿Aceptaría usted llevarme a Yokohama?

Al oír esto, el marino le miró asombrado.

–¿El señor bromea?

–No. He perdido el *Carnatic* y es necesario que esté el día catorce lo más tarde en Yokohama para tomar el paquebote de San Francisco.

–Lo siento –respondió el piloto–, pero es imposible.

–Le ofrezco cien libras por día y una prima de doscientas libras si llega a tiempo.

–¿Habla en serio?

–Muy en serio.

El marino se apartó y permaneció unos momentos mirando al mar. En su ánimo se libraba evidentemente un combate entre su deseo de ganar una suma enorme y el temor de aventurarse tan lejos.

Fix estaba angustiado.

Fogg se dirigió a Aouda:

–¿No tendrá usted miedo, señora?

–Con usted no tengo miedo de nada, señor Fogg.

El piloto se acercó nuevamente a Fogg, dando vueltas a su gorra entre las manos.

–¿Y bien, piloto?

–Mire, señor, yo no puedo poner en peligro a mis hombres, ni a mí mismo, ni a usted, en una travesía tan larga sobre un barco de veinte toneladas apenas y en esta época del año. Además, no llegaríamos a tiempo, pues hay mil seiscientas cincuenta millas entre Hong-Kong y Yokohama.

–Mil seiscientas solamente –repuso Fogg.

–Es lo mismo.

Fix dio un suspiro de alivio.

–Pero –añadió el piloto– quizá haya un medio diferente.

Fix se quedó sin aire.

–¿Cuál? –preguntó Phileas Fogg.

–Yendo a Nagasaki, en la extremidad sur del Japón, a mil cien millas de aquí, o mejor, a Shangai, que está tan sólo a ochocientas millas. Yendo a Shangai no nos alejaríamos de la costa china, lo que sería una gran ventaja, tanto más cuanto que las corrientes van hacia el Norte.

–Oiga, es en Yokohama y no en Shangai o en Nagasaki donde debo tomar el barco de San Francisco.

–¿Y qué? El paquebote de San Francisco no parte de Yokohama. Hace escala en Yokohama y en Nagasaki, pero su puerto de partida es Shangai.

–¿Está usted seguro de lo que dice?

–Totalmente.

–¿Y cuándo sale de Shangai el barco?

–El once, a las siete de la tarde. Tenemos, pues, cuatro días ante nosotros. Cuatro días son noventa y seis horas, y con una media de ocho millas por hora, con un poco de suerte, si el mar se mantiene en calma y el viento en el Sudeste, podríamos cubrir las ochocientas millas que nos separan de Shangai.

–¿Cuándo podría usted partir?

–Dentro de una hora. El tiempo necesario para comprar víveres y aparejar.

–De acuerdo. ¿Es usted el patrón del barco?

–Sí, soy John Bunsby, patrón de la *Tankadere*.

–¿Quiere usted algo a cuenta?

–Si no le importa al señor, sí.

–Tenga doscientas libras. Señor –dijo Phileas Fogg dirigiéndose a Fix–, si quiere usted aprovechar la ocasión...

–Justamente iba a pedirle este favor –dijo resueltamente Fix.

–Bien, dentro de media hora estaremos a bordo.

–Pero... y este pobre muchacho –dijo Aouda, a quien preocupaba extremadamente la desaparición de Passepartout.

–Voy a hacer por él lo único que puedo hacer –respondió Fogg.

Y mientras Fix, nervioso, febril, colérico, se dirigía al barco-piloto, los dos se encaminaron a la jefatura de policía de Hong-Kong. Allí, Phileas Fogg comunicó una descripción muy exacta de Passepartout y dejó una suma suficiente para su repatriación, tras de lo cual procedió a hacer lo mismo en el consulado francés antes de regresar al muelle.

A las tres de la tarde, el barco-piloto número 43, con su tripulación a bordo y hechas ya sus provisiones, estaba dispuesto a zarpar. Era una preciosa goleta de veinte toneladas, de proa afilada, muy alargada y esbelta. Se hubiese dicho un yate de carreras. Sus brillantes cobres, sus herrajes galvanizados, su puente blanco como el marfil indicaban que el patrón, John Bunsby, se cuidaba de mantenerla en buen estado. Sus dos mástiles se inclinaban ligeramente hacia popa. Llevaba bergantina, mesana, trinquete, foques y velas de cuchillo y podía aparejar una cuadra volante para el viento de popa. Debía marchar maravillosamente y, de hecho, había ganado ya varios premios en las competiciones de barcos-pilotos.

La tripulación de la *Tankadere* se componía del patrón, John Bunsby, y de cuatro hombres. Eran todos marinos audaces que, conociendo admirablemente aquellos mares, se aventuraban por ellos en todo tiempo a la busca de los barcos en dificultades. John Bunsby, un hombre de unos cuarenta y cinco años, vigoroso, moreno de sol y viento, tenía una mirada viva y un rostro enérgico. Toda su persona respiraba tanta seguridad y aplomo que hubiera inspirado confianza al ser más medroso.

Phileas Fogg y Aouda subieron a bordo, donde ya se hallaba Fix. Por el tambucho de popa se descendía a un camarote cuadrado de paredes curvas, en el que había un diván circular. En el centro, una mesa iluminada por una lámpara fijada a la misma.

–Siento no poder ofrecerle algo mejor –dijo Fogg a Fix, quien se inclinó sin responder.

–Siento no poder ofrecerle algo mejor

El inspector de policía se sentía humillado por la amabilidad de Phileas Fogg y por beneficiarse de su generosidad.

«Es un bandido muy cortés, sí, pero es un bandido», pensaba Fix.

A las tres y diez se izaron las velas. El pabellón de Inglaterra ondeaba en el extremo del pico de mesana. Los pasajeros estaban sentados en el puente. Fogg y Aouda lanzaron una última mirada al muelle con la esperanza de ver aparecer a Passepartout.

Fix se hallaba inquieto, temeroso de que el azar pudiera llevar allí al infortunado muchacho al que había tratado tan indignamente. Su aparición no dejaría de provocar una explicación bien embarazosa para el detective. Pero el francés no apareció. Sin duda debía estar todavía sometido al influjo del narcótico.

Por fin, la *Tankadere* salió mar adentro, cabeceando sobre las olas, con el viento enfilado sobre su bergantina, su mesana y sus foques.

Capítulo 21

En el que el patrón de la *Tankadere* arriesga perder una prima de doscientas libras

Aventurada expedición era la de emprender una navegación de ochocientas millas en una embarcación de veinte toneladas y en tal época del año. Los mares de China son generalmente peligrosos, expuestos como están a terribles borrascas, sobre todo durante los equinoccios, y aún se estaba en los primeros días de noviembre.

Más beneficioso hubiese sido para el piloto conducir a sus pasajeros a Yokohama, puesto que se le pagaba por día de navegación. Pero hubiera sido excesiva la imprudencia de aceptar una travesía semejante en esas condiciones, y ya era bastante audaz, si no temerario, ir hasta Shangai. Pero John Bunsby tenía confianza en su *Tankadere*, que se elevaba sobre las olas como una malva, y tal vez no le faltaba razón.

Durante las últimas horas de aquel día la *Tankadere* navegó por los caprichosos pasos de Hong-Kong, comportándose admirablemente en todas sus maniobras.

–Piloto, no necesito recomendarle toda la diligencia posible –le dijo Fogg en el momento en que entraban en mar abierta.

–Confíe en mí. Hemos desplegado todas las velas que el viento permite. Las velas volantes no servirían ahora más que para perjudicar la marcha.

–Es su oficio, no el mío, piloto, y confío en usted.

Phileas Fogg, el cuerpo erguido, las piernas abiertas, seguro como un marinero, miraba, impertérrito, la agitada superficie de las aguas. Sentada a popa, Aouda contemplaba con emoción, en la ya incipiente oscuridad del crepúsculo, el océano que iban a desafiar a bordo de una ligera embarcación. Sobre su cabeza se desplegaban las velas blancas que la llevaban por el espacio como grandes alas. La goleta, impulsada por el viento, parecía volar por el aire. Llegó la noche. La luna entraba en su primer cuarto. Su luz insuficiente se apagaría pronto en las brumas del cielo. Algunas nubes procedentes de Levante invadían ya una buena parte del cielo.

El piloto había dispuesto ya sus luces de posición. Era ésa una precaución indispensable en esos mares muy frecuentados en la vecindad de la costa. No eran raros los encuentros de los barcos, y con la velocidad de que iba animada, la goleta se hubiese deshecho al menor choque.

Situado a proa, Fix meditaba. Se mantenía apartado, conociendo la escasa locuacidad de Fogg. Le repugnaba, además, hablar con el hombre de quien aceptaba favores. Y pensaba en el futuro. Estaba convencido de que Fogg no se detendría en Yokohama, sino que tomaría allí inmediatamente el barco de San Francisco. La vasta extensión de América le garantizaría seguridad e impunidad. El plan de Phileas Fogg parecía muy sencillo. En vez de embarcarse en Inglaterra hacia Estados Unidos, como hubiera hecho un vulgar delincuente, Fogg había atravesado las tres cuartas partes del globo para llegar con más seguridad al continente americano, donde gozaría tranquilamente de su robo tras haber despistado a la policía. ¿Qué podría hacer él, Fix, una vez en el territorio de la Unión? ¿Habría de abandonar a ese hombre? ¡No, nunca! Le seguiría hasta obtener su extradición. Ése era su deber y lo cumpliría hasta el fin. En todo caso, se había producido al menos un hecho positivo: la separación de Passepartout. Después de las confidencias de

Sentada a popa, Aouda contemplaba con emoción…

Fix, importaba mucho a éste que Fogg y Passepartout no volvieran a verse.

Phileas Fogg no dejaba tampoco de pensar en Passepartout, tan singularmente desaparecido. Pensándolo bien, no era imposible que, por causa de un malentendido, el pobre muchacho se hubiera embarcado en el último momento en el *Carnatic*. Ésa era también la opinión de Aouda, que echaba mucho de menos al abnegado sirviente a quien ella tanto debía. Era posible, pues, que le encontraran en Yokohama, y sería fácil saber si había embarcado en el *Carnatic*.

Hacia las diez refrescó la brisa. Tal vez hubiera sido prudente tomar un rizo, pero el piloto, tras observar atentamente el estado de la atmósfera, dejó el velamen como estaba. Además, la *Tankedere,* con su gran calado, llevaba admirablemente el trapo, y todo estaba dispuesto para amainar rápidamente en caso de chubasco.

A media noche, Phileas Fogg y Aouda descendieron al camarote. Fix les había precedido y descansaba ya en el diván. La tripulación permaneció toda la noche en cubierta.

Al amanecer del 8 de noviembre la goleta había recorrido ya más de cien millas. Las frecuentes comprobaciones hechas con la corredera indicaban que su velocidad media se situaba entre ocho y nueve millas por hora. La *Tankedere* aprovechaba al máximo su velamen desplegado, obteniendo la mayor rapidez posible. Si el viento se mantenía inalterable, se conseguiría el objetivo.

Durante toda la jornada la goleta se mantuvo cerca de la costa, cuyas corrientes le eran favorables. La tenían a unas cinco millas a babor y su irregular perfil se les revelaba de vez en cuando a través de algunos claros. El viento soplaba de tierra, lo que apaciguaba al mar, beneficiando así a la goleta, pues las embarcaciones de pequeño tonelaje sufren mucho con la marejada, que rompe su velocidad, que las «mata», por emplear la típica expresión marinera.

Hacia mediodía la brisa amainó un poco y saltó al Sudeste. El piloto mandó desplegar las velas de cuchillo, pero al cabo de dos horas tuvo que amainarlas al arreciar nuevamente el viento. Fogg y Aouda, afortunadamente refractarios al mareo, comieron con apetito las conservas y las galletas de a bordo. Invitado a compartir su almuerzo, Fix se vio obligado a aceptar, sabiendo que es tan necesario lastrar los estómagos como los barcos, pero se sintió humillado. Viajar a expensas de ese hombre, alimentarse de sus víveres... le parecía un tanto desleal. Comió, sin embargo, con muchos reparos, pero comió. No obstante, terminado el almuerzo, creyó deber decir a Fogg:

–Caballero –la expresión le quemaba los labios y debió contenerse para no agarrar por el cuello a ese «caballero»–, ha sido usted muy amable al ofrecerme pasaje a bordo. Pero, aunque mis recursos no me permitan actuar con tanta largueza como la suya, deseo pagar mi parte.

–No hablemos de eso, caballero –respondió Fogg.

–¡Oh, sí, le ruego...!

–No, señor –repitió Fogg con un tono que no admitía réplica–. Esto entra en mis gastos generales.

Fix, sofocado, se inclinó. Se fue a popa y no pronunció una palabra más en toda la jornada.

La goleta avanzaba con rapidez, permitiendo a John Bunsby alimentar la esperanza de conseguir su objetivo. Varias veces aseguró a Fogg que llegarían a tiempo a Shangai, a lo que éste respondía diciendo que así lo esperaba. La tripulación ponía en ello el mayor celo, excitada por la prima ofrecida. Por eso, no había ni una escota que no estuviese concienzudamente tensada, ni una vela mal izada, ni una mala bordada que reprochar al timonel. No se hubiera maniobrado con más rigor en una regata del Royal Yacht Club.

A última hora de la tarde la corredera reveló que se había cubierto ya una distancia de doscientas veinte millas desde su partida de Hong-Kong. Phileas Fogg empezó a creer que a su llegada a Yokohama no tendría ningún retraso que inscribir en su contabilidad. Así, pues, el primer contratiempo serio que había sufrido desde su partida de Londres no le causaría probablemente ningún perjuicio.

A las primeras horas del día siguiente la *Tankadere* se internaba en el estrecho de Fo-Kien, que separa la gran isla de Formosa de la costa china, y cortaba el trópico de Cáncer. La mar era muy dura en ese estrecho, lleno de remolinos formados por las contracorrientes. La goleta soportó un esfuerzo excesivo. La marejada cortaba su marcha. Se hizo difícil mantenerse en pie en el puente.

Con el alba, el viento arreció aún más. El cielo anunciaba tempestad. El barómetro indicaba ya un próximo cambio de la atmósfera; el mercurio oscilaba caprichosamente. Hacia el Sudeste, el mar se levantaba en largas olas que hacían «oler la tempestad». En la víspera, el sol se había puesto en una bruma roja, en medio de centelleantes fosforescencias del océano.

El piloto examinó durante largo tiempo el mal aspecto del cielo, murmurando entre dientes palabras ininteligibles. Phileas Fogg se le acercó.

–¿Puedo hablarle con claridad? –preguntó en voz baja a su cliente.

–Hábleme con toda franqueza.

–Vamos a tener un buen vendaval.

–¿Viene del Norte o del Sur? –preguntó Fogg.

–Del Sur. Mire. Es un tifón lo que se está preparando.

–Venga, pues, ese tifón del Sur, puesto que nos empujará en la buena dirección.

–Si usted lo toma así, no hay nada más que decir.

Los presentimientos de John Bunsby no le engañaban. En una época menos avanzada del año el tifón se habría desvanecido, según la expresión de un célebre meteorólogo, como una cascada luminosa de llamas eléctricas, pero en pleno equinoccio de invierno cabía temer que se desencadenara con una gran violencia.

El piloto tomó sus precauciones de antemano. Ordenó arriar todas las velas de la goleta y amainar las vergas sobre el puente. Se quitaron las espigas de los masteleros y los botalones de ala. Se cerraron las escotillas para evitar la entrada de agua. Tan sólo se izó una vela triangular, un petifoc de tela fuerte, a guisa de trinquetilla para mantener a la goleta con viento de popa. Ya sólo quedaba esperar.

John Bunsby pidió a sus pasajeros que descendieran a la cabina, pero ese enclaustramiento en tan poco espacio y tan privado de aire, y bajo las fuertes sacudidas del oleaje, no tenía nada de agradable y ninguno de los tres aceptó irse de cubierta.

Hacia las ocho, la lluvia y fuertes ráfagas de viento comenzaron a azotar la embarcación. Con su trinquetilla por todo velamen, la *Tankadere* fue levantada como una pluma por un viento tempestuoso de cuya fuerza no se puede dar una idea exacta. Comparar su velocidad a la cuádruple de una locomotora lanzada a todo vapor sería quedar muy por debajo de la realidad.

Durante toda la jornada la goleta corrió así hacia el Norte, transportada por olas monstruosas que, afortunadamente, le comunicaban una velocidad pareja a la suya. Más de veinte veces estuvo a punto de ser sepultada por las montañas de agua que se levantaban a popa, pero otras tantas hábiles maniobras del timonel evitaron la catástrofe. Los pasajeros se hallaban totalmente empapados por los golpes de mar que recibían filosóficamente. Fix mascullaba maldición tras maldición, pero la intrépida Aouda, con los ojos fijos en su compañero, cuya sangre fría le admiraba, se mostraba digna de él y desafiaba a su lado a la tempestad. En cuanto a Phileas Fogg, parecía que ese tifón hubiera estado inscrito en su programa.

Hasta entonces la *Tankadere* se había mantenido en su rumbo Norte, pero durante la tarde, como cabía temer, el viento empezó a soplar del Noroeste. Embestida de costado

La Tankadere fue levantada como una pluma

por las olas, la goleta se vio espantosamente sacudida. El mar la azotaba con una violencia que hubiera infundido pavor a todo aquel que ignore la solidez con que están unidas todas las partes de un barco.

Con la noche, arreció aún más la tempestad. Al ver cernirse la oscuridad y comprobar la agravación de la tormenta, John Bunsby experimentó una viva inquietud y se preguntó si no debía abandonar la empresa. Luego de consultar a sus hombres, se acercó a Phileas Fogg y le dijo:

–Creo, señor, que deberíamos arribar a un puerto de la costa.

–Yo también lo creo –respondió Fogg.

–¡Ah!, pero ¿cuál?

–Yo sólo conozco uno –dijo tranquilamente Phileas Fogg.

–¿Cuál?

–Shangai.

Durante algunos instantes el piloto pareció incapaz de comprender lo que significaba aquella respuesta, lo que encerraba de obstinación y tenacidad. Luego exclamó:

–¡Sí, tiene usted razón! ¡Adelante, pues! ¡A Shangai!

Y la *Tankadere* mantuvo imperturbablemente su rumbo al Norte.

La noche fue terrible. Fue un milagro que la pequeña goleta no naufragase. Por dos veces se vio volcada y todo habría quedado arrasado a bordo de haber fallado las trincas. Aouda estaba rota, pero no dejó escapar una queja. En más de una ocasión había tenido que precipitarse Fogg hacia ella para protegerla de la violencia de las olas.

Al despuntar el día la tempestad se desencadenaba aún con gran furor. Sin embargo, el viento había cambiado al Sudeste, modificación favorable a la marcha de la goleta, que prosiguió su rumbo sobre el mar embravecido cuyas olas chocaban con las producidas por la nueva dirección del viento. Los choques de marejadas opuestas que sufrió entonces la goleta habrían destrozado a una embarcación menos sólida.

De vez en cuando se entreveía la costa a través de las brumas desgarradas, pero no se cruzaron con ningún navío. Sólo la *Tankadere* desafiaba al mar.

A mediodía se produjeron ciertos síntomas de calma, que se precisaron más con el ocaso del sol.

La breve duración de la tempestad se debía a su misma violencia.

Los pasajeros, destrozados, pudieron comer un poco y tomar un descanso. La noche fue relativamente apacible. El piloto ordenó restablecer sus velas en rizos bajos. La goleta cobró una considerable velocidad. Al día siguiente, 11 de noviembre, al despuntar el día, John Bunsby, tras reconocer la costa, afirmó que no estaban a más de cien millas de Shangai.

¡Cien millas y una sola jornada para recorrerlas! Fogg debía estar esa misma tarde en Shangai para no perder la salida del paquebote de Yokohama. Sin esa tempestad, que les había hecho perder varias horas, se hubieran hallado en ese momento a unas treinta millas del puerto.

La brisa cedía sensiblemente, pero afortunadamente el mar se calmaba con ella. La goleta se cubrió de trapo. Velas volantes, velas de estay, contrafoque, se ofrecían al viento y el mar espumeaba bajo la quilla de la goleta.

A mediodía la *Tankadere* estaba a unas cuarenta y cinco millas de Shangai. Le quedaban seis horas aún para entrar en el puerto antes de la partida del barco de Yokohama.

A bordo reinaba la mayor inquietud. Querían llegar a toda costa. Todos –con la probable excepción de Phileas Fogg– sentían su corazón latir de impaciencia. Era necesario que la goleta se mantuviese en una velocidad media de nueve millas por hora, ¡y el viento cedía! Era una brisa irregular, que soplaba de la costa a rachas caprichosas y que rizaba apenas la superficie del agua. Sin embargo, la embarcación era tan ligera y sus altas velas, de un fino tejido, captaban tan bien las veleidosas brisas que, con la ayuda de la corriente, a las seis se hallaban tan sólo a diez millas del río de Shangai, pues la ciudad misma está situada a una distancia de doce millas al menos de su desembocadura.

A las siete estaban aún a tres millas de Shangai. El piloto dejó escapar una fuerte imprecación. Iba a perder la prima de doscientas libras. Miró a Fogg, quien se mostraba impasible pese a que en esos momentos estaba en juego su fortuna.

Fue entonces cuando vieron aparecer un largo huso negro coronado de un penacho de humo. Era el paquebote americano que salía a la hora reglamentaria.

–¡Maldición! –exclamó John Bunsby, rechazando el timón con un gesto desesperado.

–¡Las señales! –dijo simplemente Phileas Fogg.

El pequeño cañón de bronce, emplazado en la proa de la goleta y destinado a hacer señales en la niebla, fue cargado hasta la boca. En el momento en que el piloto iba a aplicar la mecha, Fogg dijo:

–¡Bandera a media asta!

Se arrió la bandera a media asta. Era una señal de socorro, y cabía esperar que al verla el barco americano modificara un instante su rumbo para acercarse a la goleta.

–¡Fuego! –ordenó Fogg.

La detonación del cañoncito rasgó el aire.

Capítulo 22
En el que Passepartout comprueba
que incluso en las Antípodas
es prudente llevar dinero en el bolsillo

El *Carnatic,* salido de Hong-Kong el 7 de noviembre, a las seis y media de la tarde, se dirigía a toda máquina hacia las tierras del Japón, con un flete considerable y gran número de pasajeros a bordo.

Dos camarotes de popa estaban desocupados. Los dos habían sido reservados para el señor Phileas Fogg.

Al día siguiente por la mañana, todos cuantos se hallaban a proa vieron sorprendidos cómo salía de la escotilla de segunda un hombre que, con la mirada extraviada, los gestos desordenados y los pelos revueltos, mostraba signos de alucinación. El hombre se dirigió con pasos vacilantes a una pila de masteleros trincados y se sentó sobre ella. Era Passepartout en persona, saliendo apenas de la pesadilla vivida en las últimas horas.

Algunos instantes después de que Fix abandonara el fumadero, dos camareros levantaron a Passepartout, que se hallaba profundamente dormido, y lo depositaron sobre el lecho de los fumadores. Pero tres horas más tarde, perseguido hasta en sueños por una idea fija, Passepartout se levantaba y luchaba contra la acción estupefaciente del narcótico. El pensamiento del deber no cumplido sacudía su sopor.

Abandonó el lecho de los fumadores y apoyándose en las paredes, tropezando, cayendo y levantándose, pero siempre impelido irresistiblemente por una especie de instinto, salió del fumadero gritando: «¡El *Carnatic!* ¡El *Carnatic!*»

El barco estaba a punto de zarpar. Passepartout sólo tenía que dar unos pasos. Se lanzó hacia la pasarela, la atravesó y cayó inanimado sobre cubierta, un segundo antes de que se levantara la pasarela y el barco largara sus amarras.

Unos cuantos marineros, acostumbrados ya a esa clase de escenas, descendieron al pobre muchacho a un camarote de segunda. Passepartout no se despertó hasta el día siguiente por la mañana, ya a ciento cincuenta millas de la costa china.

En cubierta, Passepartout respiraba a pleno pulmón la fresca brisa del mar. El aire puro le despejó. Comenzó a poner en orden sus ideas, lo que consiguió no sin dificultad. Así pudo recordar las escenas de la víspera, las confidencias de Fix, el fumadero... «Es evidente que me emborrachó abominablemente. ¿Qué va a decir el señor Fogg? En todo caso, no he perdido el barco y eso es lo principal.»

Luego, pensando en Fix, se dijo: «En cuanto a éste, espero que nos hayamos librado de él, pues no creo que se atreva a seguirnos en el *Carnatic* después de lo que me dijo ayer. ¡Un inspector de policía en persecución del señor Fogg, acusado del robo del Banco de Inglaterra! ¡Vamos, hombre! ¡El señor Fogg es tan ladrón como yo asesino!»

¿Debía contar eso al señor Fogg? ¿Revelarle el papel desempeñado por Fix? ¿No sería mejor esperar el regreso a Londres para allí decirle que habían dado la vuelta al mundo seguidos por un agente de la policía metropolitana y reír juntos? Sí, sin duda. O ya se vería. Lo más urgente era hablar con el señor Fogg y pedirle excusas por su incalificable conducta.

Se levantó. El mar estaba muy movido y el barco se balanceaba fuertemente. El muchacho, sobre unas piernas muy vacilantes aún, llegó a duras penas a popa. En cubierta no vio a nadie que se pareciera ni a Fogg ni a Aouda.

«La señora debe estar aún acostada. Y el señor Fogg habrá encontrado un jugador de *whist,* y según sus costumbre...»

Passepartout descendió al salón. El señor Fogg no estaba en él. Decidió entonces preguntar al mayordomo de a bordo cuál era el camarote ocupado por el señor Fogg. El mayordomo le dijo que no conocía a ningún pasajero así llamado.

–Excúseme, es un hombre alto, frío, poco comunicativo, que va acompañado de una dama joven.

–No hay ninguna joven dama a bordo –respondió el mayordomo–. Ésta es la lista de pasajeros, que puede usted consultar.

Passepartout lo hizo. El nombre de Fogg no figuraba en ella. Se quedó anonadado. Luego se le ocurrió pensar que...

–Dígame, ¿estamos en el *Carnatic?*

–Sí –respondió el mayordomo.

–¿Rumbo a Yokohama?

–En efecto.

Por un momento había temido haberse equivocado de barco. Pero si él estaba en el *Carnatic,* no era menos cierto que el señor Fogg no se hallaba en él.

Se dejó caer en un sillón, abrumado. Y, súbitamente, lo comprendió todo al recordar que la hora de salida del barco había sido anticipada, que debía haber prevenido de ello al señor Fogg y que no lo había hecho. Era, pues, culpa suya que Fogg y Aouda hubiesen perdido el barco. Culpa suya, sí, pero más aún del traidor que le había embriagado para separarle de Fogg, para retener a éste en Hong-Kong. Pues, al fin, comprendía la maniobra del inspector de policía. Y ahora el señor Fogg, arruinado, su apuesta perdida, detenido, en la cárcel tal vez... Passepartout se mesaba los cabellos de rabia ante esta idea. ¡Ah! ¡Si alguna vez cayera Fix entre sus manos, le iba a ajustar bien las cuentas!

Pasado el primer momento de anonadamiento, Passepartout recuperó su sangre fría y estudió la situación. Era poco envidiable. Se hallaba en ruta hacia el Japón. Seguro de llegar, ¿cómo volvería? Estaba sin dinero, sin un chelín, sin un penique. Claro es que tenía pagados el pasaje y la manutención a bordo, lo que le concedía cinco o seis días de vida asegurada y de tiempo de reflexión. Imposible tarea sería la de describir lo que comió o bebió durante la travesía. Baste decir que comió por el señor Fogg, por la señora Aouda y por sí mismo, que comió como si el Japón, adonde pronto llegaría, fuera un país desierto, desprovisto de toda sustancia comestible.

El día 13, con la marea de la mañana, el *Carnatic* hacía su entrada en el puerto de Yokohama.

Es éste un puerto importante del Pacífico, en el que hacen escala todos los barcos empleados en los servicios de correo y de viajeros entre América del Norte, China, Japón y las islas de la Malasia. Yokohama está situada en la bahía de Yedo, a corta distancia de esta inmensa ciudad, segunda capital del imperio japonés, residencia en otro tiempo del taikun, cuando existía este emperador civil, y rival de Meako, la gran ciudad habitada por el mikado o emperador eclesiástico descendiente de los dioses.

El *Carnatic* atracó en el muelle de Yokohama, cerca de las escolleras del puerto y de los almacenes de la aduana, en medio de un gran número de navíos de todas nacionalidades.

Sin ningún entusiasmo, Passepartout pisó la curiosa tierra de los Hijos del Sol. No podían hacer otra cosa allí que tomar al azar por guía y aventurarse por las calles de la ciudad.

Se halló en una ciudad completamente europea, con casas de bajas fachadas adornadas de miradores sustentados en elegantes columnas. Esa parte de la ciudad, con sus calles, sus plazas, sus muelles y sus almacenes, cubría el espacio comprendido entre el promontorio del Tratado y el río. Allí, como en Hong-Kong, como en Calcuta, hormigueaba una mezcolanza de gentes de todas las razas, americanos, ingle ses, chinos, holandeses, mercaderes dispuestos a comprar y vender todo lo que se les pusiera a mano... En medio de aquel hormigueo, el francés se sentía tan extranjero como si hubiera caído en el país de los hotentotes.

A Passepartout le quedaba el recurso de presentarse en los consulados francés o inglés, pero había decidido no utilizarlo sino en última instancia y tras haber agotado todas las posibilidades, pues le repugnaba contar su historia, tan íntimamente ligada a la de Phileas Fogg.

Tras haber recorrido la parte europea de la ciudad sin que se manifestara el azar en su ayuda, entró en la parte japonesa, decidido a llegar si era necesario hasta Yedo.

La parte autóctona de Yokohama se llama Benten, nombre de una diosa del mar adorada en las islas vecinas. Allí podía verse magníficas alamedas de pinos y cedros; puertas sagradas de una extraña arquitectura; puentecillos recubiertos por cañas y bambúes; monasterios de bonzos, en los que vegetaban los sacerdotes del budismo y los fieles a la religión de Confucio; interminables calles en las que se podía recoger una gran cosecha de niños de tez rosada y mejillas rojas, que parecían recortados de un biombo y que jugaban en medio de caniches de cortas patas y de amarillentos gatos sin cola, tan perezosos como afectuosos.

En las calles todo era movimiento y agitación incesante: bonzos en desfile procesional golpeando sus monótonos tambores; yakuninos, oficiales de aduanas o de policía, tocados de sombreros puntiagudos con incrustaciones de laca y con dos sables al cinto; soldados con trajes de algodón azul con rayas blancas y armados de fusil a percusión; oficiales del mikado embutidos en su jubón de seda con cota de mallas, y otros muchos militares de toda condición, pues en el Japón el oficio de las armas era tan estimado como desdeñado en China; hermanos mendicantes, peregrinos en largas túnicas; simples ciudadanos de cabellos lisos y negros como el ébano, cabeza voluminosa, largo el busto, delgadas las piernas, baja estatura y tez de un color que va desde los oscuros matices del cobre hasta el blanco mate, pero nunca amarillo como el de los chinos, tan diferentes de los japoneses. Entre los coches, los palanquines, los caballos, los portadores, las carretillas de vela, los *norimones* de paredes lacadas, los *cangos,* verdaderas literas de bambú sumamente cómodas, se veía circular a los breves pasos de sus pequeños pies calzados de zapatos de tela, de sandalias de paja o de zuecos de madera labrada, a mujeres poco agraciadas, de ojos oblicuos, de pecho liso, con los dientes ennegrecidos a la moda del día, pero vistiendo con elegancia el traje nacional, el kimono, especie de bata ceñida a la cintura con una amplia banda de seda cerrada a la espalda por un nudo extravagante, que las modernas parisienses han adoptado recientemente.

Passepartout se paseó durante varias horas en medio de aquella muchedumbre abigarrada, mirando las curiosas y opulentas tiendas; los bazares en que se amontona todo el oropel de la orfebrería japonesa; los restaurantes, adornados de banderitas y estandartes, en los que le estaba vedada la entrada, y casas de té en las que se bebe la aromática infusión, con el sake, licor obtenido del arroz fermentado, y los confortables fumaderos en los que se fuma un tabaco muy fino, pero no el opio, cuyo uso es prácticamente desconocido en el Japón.

Se halló después en plena campiña, en medio de inmensos arrozales. Junto a flores que exhalaban sus últimos perfumes, triunfaban allí las espléndidas camelias, abiertas no ya en arbustos, sino en verdaderos árboles, y tras los cercados de bambú se levantaban cerezos, ciruelos y manzanos que los indígenas cultivan más por sus flores que por sus frutos, y que protegían de los picos de los gorriones, palomas, cuervos y otros voraces volátiles unos maniquíes gesticulantes y unos ruidosos torniquetes. No había un cedro majestuoso que no albergase algún águila ni un sauce llorón que no recubriese con su follaje una garza, melancólicamen-

Llegada la noche, Passepartout regresó a la ciudad indígena

te posada sobre una pata; había también por todas partes
cornejas, patos, gavilanes, ánsares y un gran número de esas
grullas a las que los japoneses dan el tratamiento de «seño-
rías» y que simbolizan para ellos la longevidad y la felicidad.

En su marcha errante, Passepartout vio algunas violetas
entre las hierbas. «Bien, ahí tengo mi cena.» Pero al olerlas
no les halló perfume alguno. «Mala suerte», se dijo.

Cierto es que, previsoramente, el muchacho había desa-
yunado lo más copiosamente que había podido antes de
abandonar el *Carnatic,* pero tras una jornada de deambula-
ción se notaba el estómago vacío.

Había observado la absoluta inexistencia de corderos, ca-
bras y cerdos en los escaparates de los carniceros, y como sabía que era un sacrilegio sacrificar a los bueyes, únicamente
reservados a las necesidades de la agricultura, había llegado
a la conclusión de que la carne era rara en Japón. No se equivocaba, pero a falta de esas carnes, su estómago se hubiera
acomodado perfectamente a una pata de jabalí o de ciervo,
así como a las perdices y codornices o cualquier otra ave, o
bien a un pescado cualquiera, que con el arroz constituye el
alimento casi exclusivo de los nipones. Pero tuvo que hacer
de tripas corazón y dejar para el día siguiente el cuidado de
proveer a su sustento.

Llegada la noche, Passepartout regresó a la ciudad indígena, por cuyas calles erró entre las linternas multicolores, contemplando las atracciones de los bailarines callejeros y de los
astrólogos que atraían a la muchedumbre hacia sus lunetas.
Vio luego la rada, esmaltada por las luces de los barcos de
pesca que atraían a los peces con la luz de sus antorchas.

Las calles fueron despoblándose. A la muchedumbre sucedieron las rondas de los yakuninos. Estos oficiales, en sus
magníficos trajes y en medio de su cortejo, parecían emba-
jadores. Cada vez que Passepartout se encontraba uno de
esos brillantes cortejos en patrulla se decía jocosamente:
«Ahí va otra embajada japonesa hacia Europa.»

Capítulo 23
En el que la nariz de Passepartout se alarga desmesuradamente

Al día siguiente, Passepartout, agotado y hambriento, se dijo que había que comer a toda costa y que cuanto antes lo hiciera sería mejor. Le quedaba el recurso de vender su reloj, pero prefería morirse de hambre antes que hacer eso.

Nunca como entonces se le había presentado la ocasión de utilizar la fuerte, si no melodiosa, voz de que le había dotado la naturaleza. Sabía algunas canciones francesas e inglesas, que decidió poner en práctica. Los japoneses debían ser aficionados a la música, puesto que entre ellos todo se hace al son de los címbalos y de los tambores, y por ello habrían de ser capaces de apreciar el talento de un virtuoso europeo.

Pero la hora era tal vez demasiado temprana para organizar un concierto y había el riesgo de que los *dilettanti* rehusaran pagar en moneda con la efigie del mikado al cantante por haberlos despertado bruscamente. Passepartout decidió, pues, esperar unas horas. Pero mientras caminaba pensó que tal vez pareciera demasiado bien vestido para ser un artista ambulante y se le ocurrió la idea de cambiar sus ropas por otras más acordes con su posición. El cambio podía procurarle además un poco de dinero con el que satisfacer inmediatamente su apetito.

Tomada esta resolución, había que llevarla a la práctica. Tras una larga búsqueda, Passepartout descubrió al fin un ropavejero indígena al que le propuso el negocio. El traje europeo gustó al ropavejero y pronto Passepartout salía de su tienda ataviado con una vieja túnica japonesa y tocado con un curioso turbante descolorido por la acción del tiempo. Y en sus bolsillos, el alegre son de unas monedas de plata.

«Bien, me haré a la idea de que estamos en carnaval.»

Así «japonizado», lo primero que hizo Passepartout fue entrar en una «tea-house» de modesta apariencia, donde con unos restos de ave y unos puñados de arroz comió como un hombre para quien las restantes comidas del día era un problema por resolver.

«Ahora –se dijo cuando hubo saciado su hambre– se trata de no perder la cabeza. Ya no me queda el recurso de trocar estos harapos por otros más japoneses. Hay que pensar en el medio de salir lo antes posible de este país del Sol, del que guardaré un lamentable recuerdo.»

Pensó entonces en visitar todos los barcos que se dirigieran a América con el propósito de ofrecerse como cocinero o camarero, sin más retribución que el pasaje y la manutención. Una vez en San Francisco, ya vería cómo se las arreglaba. Lo importante era atravesar esas cuatro mil setecientas millas del Pacífico que se extienden entre el Japón y el Nuevo Mundo.

No siendo hombre capaz de dejar dormida una idea, Passepartout se dirigió en seguida hacia el puerto de Yokohama. Pero, a medida que se acercaba a los muelles, el proyecto que le había parecido tan sencillo en el momento de su concepción se le iba antojando más y más irrealizable.

¿Por qué habrían de necesitar un cocinero o un camarero a bordo y qué confianza podía inspirar un hombre vestido de esa guisa? ¿Qué recomendaciones o referencias podía

Passepartout salía de su tienda ataviado
con una vieja túnica japonesa

presentar? En tales reflexiones iba sumido cuando su mirada se posó en un inmenso cartel que portaba una especie de *clown* por las calles de Yokohama y cuyo texto, escrito en inglés, era el siguiente:

COMPAÑÍA ACROBÁTICA JAPONESA
DEL
HONORABLE WILLIAM BATULCAR

*Últimas representaciones antes de su partida hacia
los Estados Unidos de América de los*

¡NARIGUDOS-NARIGUDOS!

*Bajo la advocación directa del dios Tingú
¡Gran atracción!*

«¡Los Estados Unidos de América! –exclamó Passepartout–. Justo donde yo quiero ir.»

Siguió el hombre-anuncio y pronto entró en la ciudad japonesa. Un cuarto de hora después se hallaba ante una gran barraca coronada por varios haces de banderas y pintarrajeada, con violentos colores pero sin perspectiva, de figuras que representaban una banda de malabaristas. Era el establecimiento del honorable Batulcar, un nuevo Barnum americano, director de una compañía de saltimbanquis, malabaristas, *clowns,* acróbatas, equilibristas y gimnastas que, según decía el cartel, ofrecían sus últimas representaciones antes de abandonar el imperio del Sol Naciente para volver a los Estados de la Unión.

Passepartout entró bajo un peristilo situado en el pórtico del barracón, y preguntó por el señor Batulcar, quien apareció en seguida.

–¿Qué quiere usted? –preguntó a Passepartout, a quien tomó por un indígena.

–¿Necesita usted un sirviente?

–¡Un sirviente! –exclamó el Barnum, acariciándose la espesa perilla gris que poblaba su mentón–. Tengo dos, obedientes, fieles, que no me han abandonado nunca y que me sirven gratis sin otra condición que la de alimentarlos. Hélos aquí –añadió al tiempo que mostraba sus dos robustos brazos, surcados de venas tan gruesas como las cuerdas de un contrabajo.

–Así que... ¿no le sirvo para nada?

–Para nada.

–¡Diablo! ¡Con lo bien que me vendría partir con ustedes!

–¡Vaya! –dijo el honorable Batulcar–. Si usted es japonés, yo soy un mono. ¿Por qué va vestido así?

–Uno se viste como puede.

–Eso es verdad, sí. ¿Es usted francés?

–Sí, parisién de París.

–Entonces, debe saber hacer muecas.

–Los franceses sabemos hacer muecas, es cierto, pero no mejor que los americanos –dijo Passepartout, ofendido porque su nacionalidad hubiera provocado tal deducción.

–De acuerdo. Bueno, no puedo tomarle como sirviente, pero sí como *clown*. Compréndalo. En Francia se exhibe a payasos extranjeros, y en el extranjero a payasos franceses.

–¡Ah!

–Parece usted fuerte.

–Lo soy. Sobre todo, después de comer.

–¿Sabe usted cantar?

–¡Naturalmente! –respondió Passepartout, que en otros tiempos había actuado en bandas callejeras.

–Pero ¿sabe cantar cabeza abajo, con una peonza girando sobre la planta del pie izquierdo y un sable en equilibrio sobre la planta del pie derecho?

–¡Pardiez! –respondió Passepartout, que recordaba los primeros ejercicios de su juventud.

–Es que, sabe usted, todo consiste en eso –dijo el honorable Batulcar.

El contrato quedó concertado *hic et nunc*.

Passepartout había hallado una colocación. De payaso para todo, en la célebre *troupe* japonesa. Situación poco halagüeña, pero antes de ocho días estaría en camino hacia San Francisco.

Anunciada a bombo y platillo por el honorable Batulcar, la representación debía comenzar a las tres. Pronto resonaron a la puerta de la barraca los formidables instrumentos de una orquesta japonesa.

Passepartout no había tenido tiempo para estudiar y preparar un número. Por el momento, todo lo que se le pedía era que prestara el apoyo de sus sólidos hombros para el gran número del «racimo humano» ejecutado por los Narigudos del dios Tingú. Era la *great atraction* de la compañía, con la que se cerraba la representación.

Antes de las tres, los espectadores habían invadido ya la vasta barraca. Europeos e indígenas, chinos y japoneses, hombres, mujeres y niños se precipitaban hacia los estrechos bancos y los «palcos» situados frente al escenario. Los músicos estaban ya dentro haciendo sonar con furor sus instrumentos: gongs, tamtams, platillos, flautas, tamboriles y bombos.

La función fue similar a la de todas las exhibiciones de acróbatas. Pero hay que reconocer que los japoneses son los primeros equilibristas del mundo. Uno de ellos, pertrechado de un abanico y de unas tiras de papel, ejecutaba el gracioso ejercicio de las flores y las mariposas. Otro, con el humo oloroso de su pipa trazaba rápidamente en el aire una serie de palabras azuladas que formaban un cortés saludo al público. Otro hacía malabarismos con velas encendidas, que apagaba al pasarlas por sus labios y que iba encendiendo una con otra sin interrumpir sus hábiles ejercicios. Otro efectuaba las más increíbles combinaciones con perinolas giratorias, que, bajo su mano, parecían animarse de una vida propia en sus giros interminables, ya corrieran por el tubo de una pipa, ya por el filo de un sable o por alambres finos como cabellos tendidos de un lado a otro de la escena. Las perinolas daban vueltas sobre los bordes de jarrones de cristal, ascendían por escalas de bambú y se dispersaban en todas direcciones produciendo extraños efectos armónicos al combinar sus diversas tonalidades. Los malabaristas jugaban con ellas haciéndolas girar en el aire, lanzándolas con raquetas de madera sin que dejaran de dar vueltas; se las metían en sus bolsillos y cuando las sacaban de nuevo seguían girando, hasta el momento en que la distensión de un muelle las hacía estallar en fuegos de artificio. Los números de la escalera, de la pértiga, de la bola, de los toneles, etc., fueron ejecutados con una admirable precisión por los acróbatas y gimnastas de la compañía. Pero la principal atracción de la función era la exhibición de los «narigudos», que los europeos no han tenido aún ocasión de contemplar.

Esos narigudos forman una corporación particular colocada bajo la advocación directa del dios Tingú. Vestidos como heraldos de la Edad Media, llevan un par de espléndidas alas fijadas a sus hombros. Pero lo que les distinguía más especialmente era la larga nariz adosada a sus rostros y sobre todo el uso que de ella hacían. Tales narices no eran otra cosa que cañas de bambú de diferentes longitudes, cinco, seis y hasta diez pies, y formas: rectas, curvadas, lisas o llenas de nudos a modo de verrugas. Era sobre esos apéndices, sólidamente fijados, sobre los que efectuaban sus difíciles ejercicios de equilibrio. Una docena de los sectarios del dios Tingú se tendieron de espalda, con sus narices levantadas como pararrayos, y sus compañeros empezaron a saltar de una a otra, dando volatines y ejecutando las suertes más inverosímiles.

Para terminar, se había anunciado especialmente al público el número de la pirámide humana, en la que una cin-

El monumento se derrumbó como un castillo de naipes

cuentena de narigudos debían componer la figuración del «Carro de Jaggernaut». Pero en vez de formar la pirámide utilizando los hombros como punto de apoyo, los artistas del honorable Batulcar los sustituían con sus narices.

Uno de los que componían la base del carro había abandonado a la compañía, y como bastaba ser vigoroso y hábil, Passepartout había sido escogido para reemplazarlo.

El muchacho se sintió avergonzado cuando –triste recuerdo de su juventud– se endosó su traje de la Edad Media adornado con unas alas multicolores y se aplicó al rostro una nariz de seis pies. Pero al pensar que su pan pendía de esa nariz se avino a ello.

Passepartout entró en escena y se colocó junto a aquellos de sus colegas que debían componer la base del Carro de Jaggernaut. Se tendieron en el suelo con la nariz apuntando al cielo. Una segunda sección de equilibristas vino a posarse sobre los largos apéndices, una tercera se instaló encima, luego una cuarta, y sobre esas narices que únicamente se tocaban por la punta, se elevó pronto un monumento humano hasta el techo de la barraca.

Las ovaciones del público alcanzaban su máximo ardor y los truenos de los instrumentos de la orquesta su máximo furor, cuando, súbitamente, se conmovió la pirámide, roto el equilibrio de la misma por la defección de una de las narices de la base, y el monumento se derrumbó como un castillo de naipes.

Fue Passepartout el responsable, al abandonar su puesto para atravesar la rampa, sin el concurso de sus alas, y dirigirse a la galería de la derecha del escenario, donde cayó ante los pies de un espectador al tiempo que gritaba:

–¡Señor Fogg! ¡Señor Fogg!

–¿Usted?

–¡Yo!

–Bien, pues al barco, muchacho.

Y Phileas Fogg, Aounda y Passepartout se precipitaron fuera de la barraca. Pero allí se toparon con el honorable Ba-

Seguidos de Passepartout con sus alas a la espalda

tulcar que, furioso, reclamaba la indemnización, de los da-
ños y perjuicios causados por la «ruptura». Phileas Fogg
apaciguó su furor con unos cuantos billetes. Y a las seis y
media, en el momento en que el barco iba a zarpar, Phileas
Fogg y Aouda subieron a bordo del navío americano, seguidos de Passepartout con sus alas a la espalda y su nariz de
seis pies al rostro, que aún no había podido arrancarse.

Capítulo 24
Durante el cual se efectúa la travesía del Pacífico

Fácilmente habrá adivinar el lector lo acontecido en las cercanías de Shangai. Las señales hechas por la *Tankadere* habían sido observadas y oídas desde el barco de Yokohama. Al ver una bandera a media asta, su capitán se había dirigido hacia la pequeña goleta. Unos instantes después, tras haber pagado Phileas Fogg a John Bunsby las quinientas cincuenta libras a que se había hecho acreedor, el honorable *gentleman,* Aouda y Fix subían a bordo del barco que inmediatamente prosiguió su marcha rumbo a Nagasaki y Yokohama.

Llegado en la mañana de ese mismo día, 14 de noviembre, a la hora reglamentaria, Phileas Fogg, dejando a Fix ocupado en sus asuntos, se dirigió al *Carnatic,* donde se le informó, para gran satisfacción de Aouda –y quizás también para la suya, aunque no lo mostrara– que el francés Passepartout había llegado efectivamente la víspera a Yokohama.

Fogg, que debía partir esa misma tarde hacia San Francisco, se puso inmediatamente a la búsqueda de su sirviente. En vano se dirigió a los agentes consulares de Francia e Inglaterra, y tras haber recorrido inútilmente las calles de Yokohama, desesperaba ya de encontrarle cuando el azar, o quizás una especie de presentimiento, le hizo entrar en la barraca del honorable Batulcar. Nunca hubiese podido reconocer a su sirviente bajo ese excéntrico disfraz de heraldo, pero éste, en su posición invertida, sí pudo ver a Fogg y a Aouda entre el público. La emoción causó el desvío de su nariz y éste la ruptura del equilibrio.

Tal fue lo que Passepartout supo de boca de Aouda, quien le relató luego la travesía de Hong-Kong a Shangai a bordo de la *Tankadere,* en compañía de un tal Fix.

Passepartout no pestañeó al oír ese nombre. Pensaba que no había llegado el momento de contar a Fogg lo que había ocurrido entre él y el inspector de policía. Por ello, en el relato que hizo de sus aventuras se acusó y se excusó solamente de haberse embriagado en un fumadero de opio de Hong-Kong[1].

Fogg escuchó fríamente ese relato, sin hacer el menor comentario. Acabado el mismo, dio dinero a Passepartout para que pudiera procurarse a bordo ropas más convenientes. Menos de una hora después, el muchacho, cortada su nariz y raídas sus alas, no tenía nada sobre sí que recordara al adepto del dios Tingú.

El paquebote que hacía la travesía de Yokohama a San Francisco pertenecía a la Compañía del «Pacific Mail Steam» y tenía por nombre el de *General Grant.* Era un vapor de ruedas muy grande, de dos mil quinientas toneladas de desplazamiento, bien acondicionado y muy rápido. Un enorme balancín se elevaba y descendía alternativamente por encima del puente; en una de sus extremidades se articulaba la vara de un émbolo y en la otra la de una biela, que, transformando el movimiento rectilíneo en movimiento circular, se aplicaba directamente al árbol o eje de las ruedas. El *General Grant* estaba aparejado en bergantín-goleta, y poseía una

1. «En un fumadero de opio de Yokohama», escribe Verne, por error. *(N. del T.)*

gran superficie de velamen que ayudaba poderosamente al vapor. Con sus doce millas por hora, el paquebote no debía emplear más de veintiún días en atravesar el Pacífico. Phileas Fogg podía esperar así que, llegando a San Francisco el 2 de diciembre, estaría en Nueva York el 11 y el 20 en Londres, anticipándose en algunas horas a la fecha fatal del 21 de diciembre.

Numerosos eran los pasajeros a bordo del *General Grant*, ingleses, muchos americanos, una verdadera emigración de *coolies* y un cierto número de oficiales del ejército de la India que utilizaban sus vacaciones para dar la vuelta al mundo.

No se produjo ningún incidente náutico durante la travesía. Sostenido sobre sus anchas ruedas y apoyado en su fuerte velamen, el paquebote reducía al mínimo los movimientos de cabeceo y balance. El océano Pacífico justificó por una vez su nombre.

Phileas Fogg continuaba tan flemático y tan poco comunicativo como de costumbre. Su joven compañera se sentía cada vez más ligada a ese hombre, y por lazos diferentes a los del agradecimiento. La naturaleza silenciosa y generosa de Fogg le impresionaba más fuertemente de lo que ella misma creía y casi sin darse cuenta iba abandonándose a unos sentimientos a los que parecía permanecer ajeno el enigmático Fogg. Aouda se interesaba cada vez más en la empresa del *gentleman*, inquietándose ante cada contrariedad que pudiera comprometer el éxito del viaje. A menudo hablaba de ello con Passepartout, que no había dejado de leer en el corazón de la joven viuda. El muchacho sentía ahora hacia Phileas Fogg una fe de carbonero y no paraba de elogiar su honestidad, su generosidad y su abnegación. Tranquilizaba a Aouda sobre la suerte del viaje, diciéndole que lo más difícil estaba ya hecho, una vez dejado atrás los países fantásticos de China y Japón; que regresaban a los países civilizados, y que un tren de San Francisco a Nueva York y un transatlántico de Nueva York a Londres harían posible acabar con buen fin esa imposible vuelta al mundo en tan poco tiempo.

A los nueve días de haber salido de Yokohama, Phileas Fogg había recorrido exactamente la mitad del globo terrestre. En efecto, el 23 de noviembre el *General Grant* pasaba por el meridiano 180, en cuyo hemisferio sur se hallan los antípodas de Londres. De los ochenta días con que contaba había empleado, cierto es, cincuenta y dos y no le quedaban más que veintiocho. Pero hay que notar que si bien se hallaba a la mitad de su ruta por lo que respecta a la diferencia de meridianos, había efectuado, en realidad, más de dos tercios del recorrido total. ¡Cuántos rodeos forzosos en ese itinerario de Londres a Adén, de Adén a Bombay, de Calcuta a Singapur y de Singapur a Yokohama! De haber seguido circularmente el paralelo 50, que es el de Londres, la distancia a recorrer no hubiese sido de más de doce mil millas aproximadamente, en tanto que Phileas Fogg se veía forzado por los caprichos de los medios de locomoción a recorrer veintiséis mil, de las que había cubierto ya unas diecisiete mil quinientas a la fecha del 23 de noviembre. Pero a partir de entonces el camino era ya recto y Fix no estaba allí para interponerle obstáculos.

Ese mismo día del 23 de noviembre reservó una gran alegría a Passepartout. Obstinado en conservar la hora de Londres en su reloj-recuerdo-de-familia, teniendo por falsas las horas de los países que atravesaba, tuvo ese día la satisfacción de ver que los relojes de a bordo se hallaban de acuerdo con el suyo, pese a no haber avanzado ni atrasado éste en un solo segundo. Passepartout se sintió victorioso. Le hubiera gustado conocer la opinión de Fix, de haber estado allí presente. «Y ese individuo que me contó un montón de historias sobre los meridianos, el sol y la luna... Yo estaba seguro de que un día u otro el sol acabaría por ajustarse a mi reloj...»

Ignoraba Passepartout que si la esfera de su reloj hubiera estado dividida en veinticuatro horas como los relojes italianos no habría tenido ningún motivo para considerarse triunfante, pues a las nueve de la mañana en el *General Grant* las agujas de su reloj hubieran marcado las nueve de la noche, es decir una diferencia de doce horas, precisamente la que existe entre Londres y el meridiano 180.

Pero si Fix hubiera sido capaz de explicar ese fenómeno puramente físico, Passepartout habría sido incapaz si no de comprenderlo sí al menos de admitirlo. Y en todo caso, si por una extraordinaria casualidad el inspector se presentara súbitamente allí, es probable que Passepartout, rencoroso con razón, hubiera tratado con él un tema muy diferente y de muy distinto modo.

¿Dónde estaría Fix en ese momento? Pues, precisamente, a bordo del *General Grant.* Al llegar a Yokohama, el agente, abandonando a Phileas Fogg, a quien esperaba hallar de nuevo por la tarde, se había dirigido inmediatamente al consulado inglés, donde, por fin, había encontrado la orden de arresto que le perseguía desde Bombay. La orden, fechada con cuarenta días de antelación, le había sido expedida desde Hong-Kong por medio del *Carnatic,* en el que se le suponía estar haciendo la travesía. Inmensa fue la decepción del policía ante aquella orden ya inútil por haber abandonado Fogg las posesiones inglesas. Para detenerlo ahora, necesario era un expediente de extradición.

«Bien –se dijo Fix pasado el primer momento de cólera–, mi orden no vale aquí, pero será válida en Inglaterra, si como todo parece indicar el ladrón vuelve a su patria creyendo haber despistado a la policía. Pues bien, le seguiré hasta allí. ¡Dios quiera que le quede para entonces algo de dinero! ¡Porque en viajes, en primas, en procesos, en multas, en elefante y en gastos de todas clases, mi hombre ha dejado ya por el camino más de cinco mil libras. Bueno, después de todo, el Banco es rico.»

Tomada tal resolución, se embarcó en el *General Grant.* Se hallaba ya a bordo cuando llegaron Fogg y Aouda. Con gran sorpresa pudo reconocer a Passepartout bajo su traje de heraldo. Se ocultó en seguida en su camarote a fin de evitar una explicación que podía poner todo en peligro.

El gran número de pasajeros le hacía esperar pasar inadvertido de su enemigo, cuando aquel día precisamente se topó de manos a boca con él en la cubierta de proa.

Passepartout se arrojó al cuello de Fix sin que mediara explicación alguna y –ante la satisfacción de algunos americanos que cruzaron inmediatamente sus apuestas– administró al desgraciado inspector una tremenda paliza que demostró la gran superioridad del boxeo francés sobre el boxeo inglés.

Cuando hubo acabado, Passepartout se sintió tranquilo, como aliviado de un gran peso. Fix se levantó, en lamentable estado, y mirando a su adversario, le dijo fríamente:

–¿Ha terminado usted?

–Por ahora, sí.

–Entonces venga conmigo, tenemos que hablar.

–Que yo...

–En interés del señor Fogg.

Subyugado por tanta sangre fría, Passepartout siguió al inspector y tomó asiento con él en un banco de cubierta.

–Me ha vapuleado usted de lo lindo. Bien. Ahora, escúcheme. Hasta ahora he sido el adversario del señor Fogg, pero en lo sucesivo voy a ayudarle.

–¡Ah! ¿Por fin se ha dado usted cuenta de que es un hombre honrado?

–No –respondió fríamente Fix–, sigo creyéndole un ladrón... ¡Chist! quédese tranquilo y escúcheme. Mientras Fogg se hallaba en territorio inglés, mi interés estaba en retenerle, a la espera de una orden de arresto. Hice todo lo que pude por conseguirlo. Lancé contra él a los sacerdotes de Bombay, le emborraché a usted en Hong-Kong y le separé de él, haciéndole perder el barco de Yokohama...

Passepartout escuchaba, clavándose las uñas en las manos.

–Ahora parece ser que el señor Fogg regresa a Inglaterra. Yo le seguiré. Pero de aquí en adelante pondré tanto celo en separar los obstáculos de su camino como antes en acumulárselos. Como puede ver, mi juego ha cambiado, y si ha cambiado es porque mi interés así lo exige. Creo que el interés de usted coincide con el mío, pues será en Inglaterra donde podrá usted saber si está al servicio de un delincuente o de un hombre honrado.

Passepartout le había escuchado con mucha atención y se convenció de que Fix hablaba con total sinceridad.

–Entonces, ¿qué? ¿Amigos? –preguntó Fix.

–Amigos, no. Aliados, sí, pero con reservas, pues al menor signo de traición le retuerzo el pescuezo.

–Convenido –dijo tranquilamente el inspector de policía.

Once días después, el 3 de diciembre, el *General Grant* entraba en la bahía de la Puerta de Oro y llegaba a San Francisco.

A su llegada a esta ciudad, Phileas Fogg seguía su programa sin ganar ni perder un solo día sobre el mismo.

Capítulo 25
Que da una breve visión de San Francisco en un día de *meeting*

Eran las siete de la mañana cuando Phileas Fogg, Aouda y Passepartout pisaron el continente americano, si es que tal nombre puede darse al muelle flotante en que desembarcaron. Estos muelles, al subir y descender con las mareas, facilitan las operaciones de carga y descarga de los barcos; atracan en ellos *clippers* de todas dimensiones, barcos de vapor de todas nacionalidades, y esos barcos de varios pisos que hacen el servicio del Sacramento y de sus afluentes. En esos muelles se acumulan también los productos de un comercio que se extiende a México, al Perú, a Chile, al Brasil, a Europa, a Asia y a todas las islas del Pacífico.

En su alegría de tocar por fin tierra americana, Passepartout desembarcó ejecutando un salto mortal del mejor estilo. Pero al caer sobre el muelle, cuyas tablas estaban carcomidas, estuvo a punto de pasar a través del mismo. Desconcertado por la forma de tomar pie en el nuevo continente, lanzó un grito formidable que provocó la desbandada de los numerosos cuervos marinos y pelícanos, habituales huéspedes de los muelles flotantes.

Tan pronto como desembarcó, Fogg se informó de la hora de salida del primer tren hacia Nueva York. Como el tren sa-

Estuvo a punto de pasar a través del mismo

lía a las seis de la tarde, Fogg disponía de casi todo el día para visitar la gran ciudad californiana. Tomó un coche de caballos, al que subió con Aouda, mientras Passepartout se instalaba en el pescante, y se dirigieron, por el precio de tres dólares, al Hotel Internacional. Desde su elevada posición en el coche, Passepartout miraba con curiosidad la gran ciudad americana: anchas calles, casas bajas y bien alineadas, iglesias y templos de estilo gótico anglosajón, inmensos muelles, almacenes como palacios, unos en madera, de ladrillo otros, numerosos vehículos de todas clases, ómnibus, tranvías, y sobre las aceras una gran muchedumbre, no sólo de americanos y de europeos, sino también de chinos e indios, parte de una población cifrada en más de doscientos mil habitantes.

El espectáculo sorprendió mucho a Passepartout, cuya imagen de la ciudad estaba anclada en la urbe legendaria de 1849, habitada por bandidos, asesinos e incendiarios atraídos por la conquista de las pepitas de oro, lugar de cita de todos los desclasados que se jugaban el oro en polvo con un revólver en una mano y un cuchillo en la otra. Pero aquellos «buenos tiempos» habían pasado ya. San Francisco presentaba a la sazón el aspecto de una ciudad mercantil. La alta torre del Ayuntamiento, donde se apostaban los vigías, dominaba un gran conjunto de calles y avenidas que se cortan en ángulos rectos, y de plazas ajardinadas, así como una ciudad china que parecía haber sido importada del Celeste Imperio en una cajita. No se veían ya los antiguos sombreros, ni las camisas rojas que usaban los buscadores de oro, ni indios con plumas, sino, en su lugar, los sombreros de seda y los trajes negros que vestían unos ciudadanos acometidos por la prisa y entregados a la más desenfrenada actividad. Algunas calles, como la Montgommery-street –equivalente a Regent-street, de Londres; al Boulevard des Italiens, de París, o a Broadway, de Nueva York– estaban llenas de espléndidos almacenes que ofrecían en sus escaparates productos del mundo entero.

Cuando Passepartout llegó al Hotel Internacional, tenía la impresión de no haber salido de Inglaterra.

El piso bajo del hotel estaba ocupado por un inmenso bar, cuyo *buffet* –carne seca, sopa de ostras, galletas y queso– se ofrecía gratis a todo transeúnte. El consumidor no pagaba más que las bebidas –cerveza, oporto o jerez– si se le antojaba beber. Esto le pareció muy «americano» a Passepartout.

El comedor del hotel era muy agradable. Fogg y Aouda se instalaron ante una mesa y fueron abundantemente servidos en platos liliputienses por camareros negros como el ébano.

Tras haber almorzado, Phileas Fogg, acompañado de Aouda, salió del hotel en dirección del consulado inglés a fin de hacerse visar el pasaporte. En la acera encontró a Passepartout, quien le preguntó si antes de tomar el tren del Pacífico no sería prudente comprar unas docenas de carabinas Enfield o de revólveres Colt. Passepartout había oído decir que los sioux y los pawnies asaltaban los trenes como los bandoleros españoles. Fogg le respondió que era una precaución inútil, pero le dejó libre de actuar como quisiera, y prosiguió su camino.

No había andado doscientos pasos, cuando «por rara casualidad» encontró a Fix. El inspector se mostró extremadamente sorprendido. ¿Cómo era posible que el señor Fogg y él hubieran hecho juntos la travesía del Pacífico sin haberse encontrado en el barco? En todo caso, Fix se sentía muy contento de volver a ver a un hombre a quien tanto debía, y teniendo que regresar a Europa estaba encantado de proseguir su viaje en tan agradable compañía.

Fogg respondió diciendo que se sentía también muy complacido. Fix, que deseaba absolutamente no perderle de vista, le rogó le permitiera visitar con ellos la ciudad, a lo que accedió cortésmente el *gentleman*.

En su paseo a pie por las calles, pronto llegaron los tres a Montgommery-street, donde la afluencia de público era enorme. Una innumerable muchedumbre se extendía por las aceras, ante las tiendas, en medio de la calzada e incluso sobre los raíles de los tranvías, pese al incesante paso de los vehículos. Había gente en todas las ventanas e incluso sobre los tejados. Hombres-anuncio atravesaban los grupos. Banderas y pancartas flotaban al viento. Surgían por doquier los gritos de «¡Viva Kamerfield!» a los que respondían los «¡Viva Mandiboy!».

Era un *meeting*. Así lo pensó Fix, quien lo comunicó a Fogg, y añadió:

–Haríamos bien, señor, en no mezclarnos en este lío. Es fácil recibir un mal golpe.

–En efecto –respondió Foog–, y un puñetazo, por muy político que sea, no deja de ser un puñetazo.

Fix se creyó obligado a sonreír ante esa observación. Con el fin de ver lo que ocurría, sin exponerse a ser arrollados, Aouda, Fogg y Fix se instalaron en el último peldaño de una escalera que daba a una terraza sobre Montgommery-street. Frente a ellos, al otro lado de la calle, entre una carbonería y un almacén de petróleo, había una tribuna al aire libre hacia la que parecían converger los diversos movimientos de la muchedumbre.

Phileas Fogg ignoraba la razón y la circunstancia de ese *meeting*. ¿Se trataba del nombramiento de un alto funcionario militar o civil, de un gobernador del Estado o de un miembro del Congreso? Cabía conjeturarlo así, dada la extraordinaria pasión que animaba a la ciudad.

Se produjo de repente un movimiento considerable entre la muchedumbre.

Las manos se agitaban en el aire. Algunas, fuertemente cerradas, se levantaban y abatían entre grandes gritos, enérgica manera, sin duda, de formular un voto. Grandes remolinos agitaban a la masa que afluía y refluía. Las pancartas oscilaban, desaparecían un instante y reaparecían hechas jirones. Los movimientos de la multitud se propagaban hasta la escalera, y las cabezas se agitaban en la superficie como un mar azotado súbitamente por el viento. El número de sombreros negros disminuía a ojos vistas y la mayor parte de ellos parecía haber perdido su altura normal.

–Evidentemente, se trata de un *meeting* –dijo Fix–, y el motivo debe ser de interés palpitante. No me sorprendería que se tratara del caso del *Alabama,* pese a que esté ya resuelto.

–Es posible –respondió simplemente Fogg.

–En todo caso –prosiguió Fix– hay dos campeones en liza, el honorable Kamerfield y el honorable Mandiboy.

Del brazo de Phileas Fogg, Aouda miraba, sorprendida, tan tumultuosa escena. Fix se disponía a preguntar a uno de sus vecinos la razón de esa efervescencia popular cuando se produjo un movimiento más acusado. Los hurras y viva, contrapunteados por las injurias, redoblaron en intensidad. Los palos de las pancartas se transformaron en armas ofensivas y las manos en puños. Hasta en lo alto de los coches y de los tranvías, detenidos en su marcha, se cambiaron golpes a diestro y siniestro. Todo servía de proyectil. Botas y zapatos describían en el aire breves trayectorias. Pareció por un momento que algunos revólveres mezclaron sus detonaciones nacionales a las vociferaciones de la multitud.

La marea humana invadió la escalera y refluyó en los primeros peldaños. Uno de los partidos en litigio se veía evidentemente rechazado, sin que los simples espectadores pudieran darse cuenta de si la ventaja estaba de parte de Mandiboy o de Kamerfield.

–Sería más prudente que nos retiráramos –dijo Fix, quien no deseaba que «su hombre» recibiese un mal golpe o se metiese en un lío–. Si, por casualidad, Inglaterra tuviera algo que ver en esto y nos reconocen como ingleses, podríamos pasarlo mal.

–Un ciudadano inglés...

Pero Fogg no pudo acabar su frase, interrumpida por los aullidos que sonaron tras él, en la terraza en que desembocaba la escalera. Los gritos de «¡Viva Mandiboy! ¡Hurra por Mandiboy!» anunciaron la llegada de una tropa de lectores que venían a reforzar las posiciones de los suyos y a atacar por el flanco a los partidarios de Kamerfield. Fogg, Aouda y Fix se hallaron entre dos fuegos. Era demasiado tarde para escapar. Aquel torrente de hombres, armados de garrotas y de bastones con puño de plomo, era irresistible. Fogg y Fix, preocupados por proteger a Aouda, se vieron arrollados. Fogg, tan flemático como siempre, intentó inútilmente defenderse con esas armas que la naturaleza ha puesto al extremo de los brazos de todo inglés. Un hombre herculeo, de tez colorada y barba roja, que parecía ser el jefe de la banda, levantó su puño formidable sobre Phileas Fogg, al que hubiera dejado muy malparado, de no haberse interpuesto abnegadamente Fix para recibir el golpe en su lugar. Un enorme bulto se desarrolló instantáneamente bajo el sombrero de seda del detective, transformado en un acordeón.

–¡Yankee! –dijo Fogg, mirando a su adversario con un profundo desprecio.

–Englishman –respondió el otro en el mismo tono.

–Volveremos a vernos.

–Cuando quiera. ¿Su nombre?

–Phileas Fogg. ¿El suyo?

–Coronel Stamp W. Proctor.

La marea había pasado. Fix se levantó del suelo con las ropas destrozadas, pero sin otra herida de consideración. Su levita se había separado en dos partes desiguales y sus pantalones estaban rotos por todas partes. Pero, en suma, Aouda estaba indemne y todo se había limitado al golpe recibido por Fix.

–Muchas gracias –dijo Fogg a Fix, cuando se hubieron liberado de la multitud.

–No hay de qué, pero venga usted.

–¿Adónde?

–A una tienda de ropas.

De no haberse interpuesto abnegadamente Fix para recibir el golpe

La visita se imponía, en efecto. La ropa de Fogg estaba también en jirones, tan lamentable como la de Fix, como si ambos se hubieran batido al servicio de los honorables Kamerfield y Mandiboy.

Una hora después, ya convenientemente vestidos, regresaron al Hotel Internacional, donde les esperaba Passepartout, armado de media docena de revólveres de seis tiros. El muchacho frunció el entrecejo al ver a Fix, pero se serenó en seguida al hacerle Aouda el relato de lo sucedido. Era evidente que Fix no era ya un enemigo, sino un aliado, y que estaba cumpliendo su palabra.

Terminada la cena, pidieron un coche para conducirles a la estación. En el momento de subir al coche, Fogg dijo a Fix:

–¿No ha vuelto usted a ver a ese coronel Proctor?

–No.

–Regresaré a América para encontrarle –dijo fríamente Phileas Fogg–. Un ciudadano inglés no puede dejarse tratar así.

El inspector sonrió y no respondió. Fogg era de esa raza de ingleses que si no toleran el duelo en su país sí se baten en el extranjero cuando se trata de defender su honor.

A las seis menos cuarto, los viajeros llegaron a la estación, de la que el tren se disponía a partir.

Antes de subir al vagón, Fogg se dirigió a un empleado y le preguntó:

–Dígame ¿no ha habido hoy algunos disturbios en San Francisco?

–Ha habido un *meeting,* señor.

–Pero... me ha parecido notar una cierta animación en las calles.

–Se trataba simplemente de un *meeting* electoral.

–¿Para elegir un general en jefe, quizás?

–No, señor, un juez de paz.

Oído lo cual, Phileas Fogg subió al vagón, casi al tiempo en que el tren partía a todo vapor.

Capítulo 26
En el que se toma el expreso del ferrocarril del Pacífico

«*Ocean to Ocean*», dicen los norteamericanos, y esas tres palabras deberían ser la denominación general del ferrocarril que atraviesa los Estados Unidos de América, de parte a parte, y por la más ancha. Pero en realidad, el *Pacific railroad* se divide en dos partes diferentes: el *Central Pacific*, entre San Francisco y Ogden, y el *Union Pacific*, entre Ogden y Omaha. En Omaha enlazan cinco líneas que comunican esta ciudad con Nueva York.

Nueva York y San Francisco se hallan así unidas sin interrupción por una vía férrea que mide no menos de tres mil setecientas ochenta y seis millas. Entre Omaha y el Pacífico, el ferrocarril atraviesa una comarca frecuentada aún por los indios y las fieras, una vasta extensión de territorio que los mormones comenzaron a colonizar hacia 1845, tras su expulsión de Illinois.

En otro tiempo, y en las circunstancias más favorables, se tardaba seis meses en ir de Nueva York a San Francisco. Ahora este viaje se hace en siete días.

Fue en 1862 cuando se fijó el trazado del ferrocarril entre los paralelos 41 y 42, contra la oposición de los diputados del Sur, que deseaban una línea más meridional. El presidente

Lincoln, de tan añorada memoria, fijó él mismo la cabecera
de línea de la nueva red en Omaha, en el Estado de Nebraska. Se acometió la realización de las obras con esa actividad
americana que no admite frenos burocráticos. La rapidez de
la ejecución no debía perjudicar en modo alguno a la calidad
del trabajo. Se progresó, en la pradera, a razón de una milla y
media por día. Sobre los raíles tendidos en la víspera, una locomotora transportaba los del día siguiente y rodaba por
ellos a medida que iban siendo colocados.

El ferrocarril del Pacífico tiene numerosas ramificaciones
a lo largo de su recorrido, en los estados de Iowa, Kansas,
Colorado y Oregón. Al salir de Omaha bordea la orilla izquierda del río Platte hasta la separación de los dos brazos
del río, el North Platte y el South Platte, sigue la orilla de este
último, atraviesa los territorios de Laramie y las montañas
Vahsatch, contornea el Lago Salado, llega a Salt-Lake City, la
capital de los mormones, se interna por el valle de Tuilla, sigue por el desierto, los montes de Cedar y Humboldt, el río
Humboldt y la Sierra Nevada, y desciende por Sacramento
hasta el Pacífico, sin que todo este trazado conozca pendientes superiores a ciento doce pies por milla, incluso en la travesía de las Montañas Rocosas.

Ésta era la larga arteria que los trenes recorren en siete
días y que iba a permitir al honorable Phileas Fogg –así lo esperaba él, al menos– tomar el día 11 en Nueva York el paquebote para Liverpool.

El vagón ocupado por Phileas Fogg se sustentaba en dos
juegos de ruedas, de cuatro cada uno, cuya movilidad permitía atacar curvas de pequeño radio. En su interior no había compartimentos, sino dos filas de asientos dispuestos a
cada lado, perpendicularmente al eje, entre los que había un
pasillo que conducía a los retretes. Todos los vagones estaban comunicados entre sí por sus plataformas, permitiendo
a los viajeros circular de un extremo al otro del tren y hacer
uso de los vagones salón, terraza, restaurante y bar. Sólo fal-

taba un vagón-teatro, pero no cabe duda de que algún día existirá.

Era incesante el desfile por los vagones de vendedores de libros y periódicos, de comestibles, de licores y de cigarros, exhibiendo sus productos, que no carecían de clientes.

Los viajeros habían partido de la estación de Oakland a las seis de la tarde. Ya era de noche, una noche fría, oscura, con un cielo cubierto cuyas nubes amenazaban deshacerse en nieve. El tren no rodaba a mucha velocidad. Habida cuenta de las paradas, no recorría más de veinte millas por hora, velocidad que debía permitirle, sin embargo, atravesar los Estados Unidos en el tiempo reglamentado.

El sueño iba ganando a los viajeros y las conversaciones languidecían. Passepartout iba al lado del inspector de policía, pero no le hablaba. Sus relaciones se habían enfriado mucho a partir de los últimos acontecimientos. Con la simpatía, había desaparecido la intimidad. Fix no había cambiado en su conducta, pero Passepartout se mantenía en una extrema reserva, dispuesto a estrangular a su antiguo amigo a la menor sospecha.

Una hora después de la partida del tren comenzó a caer la nieve, una nieve fina que, afortunadamente, no podía frenar la marcha. A través de las ventanillas se adivinaba más que se veía un manto blanco sobre el que las volutas de vapor exhaladas por la locomotora extendían una mancha gris.

A las ocho entró en el vagón un *steward* para anunciar a los viajeros que era hora de dormir. El vagón era un *sleeping-car* que, en algunos momentos, quedaba transformado en dormitorio. Se plegaron los respaldos de los asientos y se extrajeron mediante un ingenioso sistema unas literas. En algunos minutos se había improvisado unas cabinas protegidas por tupidas cortinas de toda mirada indiscreta, y cada viajero dispuso de un cómodo lecho con sábanas blancas y blandas almohadas. No había ya más que hacer que acostarse y dormir –como en un confortable camarote de barco–

Cómodo lecho con sábanas blancas

mientras el tren proseguía su marcha a todo vapor por el Estado de California.

El territorio que se extiende entre San Francisco y Sacramento, es poco accidentado. Esta parte del ferrocarril, llamada *Central Pacific road,* tomaba Sacramento como punto de partida y se prolongaba hacia el este al encuentro del que partía de Omaha. De San Francisco a la capital de California la línea corría directamente al nordeste, siguiendo el *American river* que desemboca en la bahía de San Pablo. Seis horas invirtió el tren en recorrer las ciento veinte millas de distancia entre las dos importantes ciudades.

A media noche, en efecto, y mientras dormían su primer sueño, los viajeros pasaron por Sacramento. No vieron nada, pues, de esta considerable ciudad, sede de la legislatura del Estado de California, ni sus magníficos muelles, ni sus anchas calles, ni sus espléndidos hoteles, ni sus plazas, ni sus templos.

Pasado Sacramento, el tren atravesó las estaciones de Junction, Roclin, Auburn y Colfax y se internó en el macizo de la Sierra Nevada. A las siete de la mañana pasó por la estación de Cisco. Una hora después, el dormitorio se había convertido de nuevo en un vagón ordinario, y los viajeros podían ver a través de las ventanillas el pintoresco paisaje de aquel montañoso país. El trazado de la línea obedecía a los caprichos de la Sierra, adhiriéndose a los flancos de las montañas, bordeando precipicios, internándose por angostos desfiladeros que parecían no tener salida y evitando mediante audaces curvas los ángulos bruscos. La locomotora, brillante como una patena, con su gran fanal que despedía fulgores rojizos, su campana plateada y su «quitavacas» extendido como un espolón, mezclaba sus silbidos y bramidos a los de los torrentes y las cascadas, y exhalaba una columna de humo que se enroscaba en las oscuras ramas de los pinos.

Escasos eran los puentes y los túneles. La vía férrea contorneaba los flancos de las montañas, sin violentar a la naturaleza por la búsqueda de la línea recta como el camino más corto entre dos puntos.

Hacia las nueve, el tren penetró por el valle de Carson en el Estado de Nevada, siguiendo siempre la dirección del nordeste. A mediodía, dejaba atrás Reno, donde los viajeros dispusieron de veinte minutos para almorzar. Desde este punto, la vía férrea, bordeando el río Humboldt a lo largo de su curso se elevó durante algunas millas al norte. Luego se dirigió hacia el este sin abandonar el curso del río hasta la cordillera de los Humboldt en que aquél tiene sus fuentes, casi en la extremidad oriental del Estado de Nevada.

Cómodamente sentados en su vagón, Phileas Fogg, Aouda, Fix y Passepartout contemplaban el variado paisaje que desfilaba ante sus ojos: vastas praderas, altas montañas, ríos torrentosos. A veces, un gran rebaño de bisontes se amasaba a lo lejos, cobrando la apariencia de un dique móvil. Esas innumerables manadas de rumiantes oponen a menudo un insuperable obstáculo al paso de los trenes. Se ha visto millares y millares de esos animales desfilar durante horas, en apretadas filas, a través de la vía férrea. Las locomotoras se ven entonces obligadas a detenerse y a esperar que la vía quede libre.

Es lo que ocurrió en esa ocasión. Hacia las tres de la tarde, una manada de diez a doce mil cabezas interceptó la vía. La máquina, tras haber limitado su velocidad, intentó hundir su espolón en el flanco de la inmensa columna, pero hubo de detenerse ante una masa tan impenetrable. Los rumiantes –los búfalos, como impropiamente les llaman los americanos– marchaban lentamente lanzando a veces formidables bramidos. Su tamaño era mayor que el de los toros de Europa, las patas y la cola corta, una cruz saliente que formaba una giba muscular, los cuernos separados en la base, la cabeza y el cuello cubiertos de largas crines. No cabía pensar en detener esa migración. Cuando los bisontes toman una dirección nada puede detenerla ni modifi-

Una manada de diez a doce mil cabezas interceptó la vía

carla. Es un torrente de carne viva que ningún dique podría contener.

Los viajeros, concentrados en las plataformas de los vagones, miraban el curioso espectáculo. Pero el que entre todos tenía más prisa, Phileas Fogg, permanecía en su asiento, esperando filosóficamente que los búfalos tuvieran a bien dejar libre el paso. Passepartout estaba furioso por el retraso ocasionado por esa aglomeración de animales, y de buena gana hubiera descargado contra ellos su arsenal de revólveres.

«¡Qué país! Unos simples bueyes pueden aquí detener un tren y pasearse en procesión, sin prisa, como si no interrumpieran la circulación. ¡Pardiez! Me gustaría saber si el señor Fogg tenía previsto este contratiempo en su programa. ¡Y este maquinista que no se atreve a lanzar su locomotora contra este molesto ganado!»

El maquinista no había intentado atravesar el obstáculo y había hecho bien, pues habría aplastado a los primeros búfalos, pero por poderosa que fuese la locomotora no habría tardado en descarrilar, dejando al tren en una difícil situación.

Lo mejor era, pues, esperar pacientemente y tratar luego de recuperar el tiempo perdido acelerando la marcha. El paso de los bisontes duró tres horas y cuando quedó libre la vía ya era de noche. Cuando las últimas filas atravesaban los raíles, las primeras se perdían ya en el horizonte hacia el sur.

Eran las ocho cuando el tren atravesó los desfiladeros de los montes Humboldt, y las nueve y media cuando penetró en el territorio de Utah, la región del gran Lago Salado, el curioso país de los mormones.

Capítulo 27

**En el que Passepartout sigue un curso
de historia mormona, a veinte millas por hora**

Durante la noche del 5 al 6 de diciembre, el tren corrió hacia el sudeste durante unas cincuenta millas aproximadamente, y luego otras tantas hacia el nordeste, aproximándose al gran Lago Salado. Hacia las nueve de la mañana, Passepartout fue a tomar el aire en la plataforma. Hacía frío, el cielo estaba gris, pero ya no nevaba. El disco del sol, aumentado por la refracción de la bruma, parecía una enorme moneda de oro, y Passepartout se hallaba ocupado en calcular su valor en libras esterlinas, cuando la aparición de un extraño personaje le distrajo de tan útil operación.

El extraño personaje, que había tomado el tren en la estación de Elko, era un hombre de alta estatura, muy moreno, con bigotes, calcetines, sombrero, chaleco y pantalones negros, corbata blanca y guantes de piel de perro. Parecía un reverendo. Iba de un extremo del tren al otro pegando una hoja manuscrita en las puertas de los vagones.

Passepartout se acercó a leerla. La hoja informaba que el honorable dignatario William Hitch, misionero mormón, aprovecharía su presencia en el tren número 48 para dar, de once a doce y en el vagón número 117, una conferencia sobre el mormonismo, a la que quedaban invitados todos los viajeros deseosos de instruirse en los misterios de la religión de los «santos de los últimos días».

«Iré», se dijo Passepartout, quien no conocía del mormonismo más que sus costumbres polígamas, base de la sociedad mormona.

La noticia se extendió rápidamente entre el centenar de personas que viajaban en el tren. Una treintena entre ellos, atraídos por la excitante conferencia, se hallaba presente a las once horas en el vagón número 117. Passepartout figuraba en primera fila. Ni Fogg ni Fix se habían molestado en acudir.

El dignatario William Hitch se levantó y con un tono irritado de voz, como anticipándose a toda contradicción, dijo: «Yo os digo que Joe Smyth es un mártir, que su hermano Hyram es un mártir y que la persecución del gobierno de la Unión contra los profetas va a hacer también un mártir de Brigham Young. ¿Quién osará sostener lo contrario?»

Nadie se arriesgó a contradecir al misionero, cuya exaltación contrastaba agudamente con la placidez de su fisonomía. Su cólera se explicaba, sin duda, por el hecho de hallarse entonces sometido el mormonismo a muy duras pruebas. El gobierno de los Estados Unidos acababa de reducir, no sin dificultades, a aquellos fanáticos independientes, sometiéndolos a las leyes de la Unión tras haberse hecho con el control del Estado de Utah y encarcelado a Brigham Young bajo la acusación de rebelión y de poligamia. Desde entonces, los discípulos del profeta redoblaban en sus esfuerzos y expresaban oralmente su resistencia a las presiones del Congreso, en espera de hacerlo con sus actos.

Como se ve, el dignatario William Hitch hacía proselitismo hasta en los trenes.

Con voz apasionada y gran lujo de violentos ademanes, el misionero contó la historia del mormonismo desde los tiempos bíblicos. Habló de «cómo en Israel un profeta mormón de la tribu de José publicó los anales de la nueva religión y los legó a su hijo Morom; cómo, muchos siglos después, una traducción de ese precioso libro, escrito en caracteres egipcios, fue hecha por Joseph Smyth junior, granjero del Estado de Vermont, quien se reveló como profeta místico en 1825; cómo se le apareció un celeste mensajero en un bosque luminoso y le entregó los anales del Señor».

Al llegar a este punto, algunos auditores, poco interesados por el relato retrospectivo del misionero, abandonaron el vagón. Pero William Hitch continuó narrando «cómo Smyth junior reunió a su padre, a sus dos hermanos y a algunos discípulos, y fundó la religión de los santos de los últimos días, una religión que, adoptada no solamente en América sino también en Inglaterra, en Escandinavia y en Alemania, cuenta entre sus fieles con un gran número de artesanos y de gentes que desempeñan profesiones liberales». Habló también de «cómo se fundó una colonia en el Ohio y se erigió un templo, por un costo de doscientos mil dólares, y una ciudad en Kirkland, y de cómo Smyth se convirtió en un audaz banquero y recibió de un simple cicerone de momias un papiro que contenía un relato escrito por la mano de Abraham y otros célebres egipcios».

El auditorio se redujo a una veintena de personas. Pero el misionero, sin hacer caso de esa deserción, continuó con su larga narración, y explicó «cómo Joe Smyth hizo bancarrota en 1837 y cómo los accionistas arruinados lo embadurnaron de alquitrán y lo cubrieron de plumas. Tras de lo cual, reapareció algunos años después más honorable y cubierto de honores que nunca, en Independence, en el Missouri, al frente de una floreciente comunidad de más de tres mil discípulos. Fue entonces perseguido por el odio de los gentiles y hubo de huir al Far-West americano».

Tan sólo diez auditores permanecían aún allí, y entre ellos Passepartout, que escuchaba con religiosa atención. Así es como supo que «después de largas persecuciones, Smyth reapareció con el Illinois, donde fundó en 1839, a orillas del

–Y tú, mi fiel auditor…

Mississippi, Nauvoo-la-Belle, que llegó a tener una población de veinticinco mil almas. Smyth fue su alcalde, su juez supremo y su general en jefe. En 1843 presentó su candidatura a la presidencia de los Estados Unidos. Y, finalmente, se le tendió una emboscada en Cartago, fue encarcelado, y asesinado luego por una banda de hombres enmascarados».

Al llegar a este punto, el auditorio había quedado reducido a la sola persona de Passepartout. El misionero, mirándole fijamente, fascinándole con sus palabras, le recordó que dos años después del asesinato de Smyth, su sucesor, el inspirado profeta Brigham Young, abandonó Nauvoo y se estableció a orillas del Lago Salado y que allí, en ese admirable territorio, en medio de esa fértil comarca, en el camino de los emigrantes que atraviesan el Utah para ir a California, la nueva colonia, gracias a los principios polígamos del mormonismo, había tomado una extensión enorme.

«Y he ahí por qué el Congreso nos persigue, con todo el peso de su envidia, por qué los soldados de la Unión han invadido el suelo del Utah, por qué nuestro jefe, el profeta Brigham Young, ha sido encarcelado, con desprecio de toda justicia. ¿Habremos de ceder a la fuerza? ¡Jamás! Expulsados del Vermont, expulsados del Illinois, expulsados del Ohio, expulsados del Missouri, expulsados del Utah, volveremos a encontrar algún territorio independiente en el que plantar nuestras tiendas... Y tú, mi fiel auditor –añadió el misionero clavando en él su terrible mirada– ¿plantarás la tuya a la sombra de nuestra bandera?»

–No –respondió valientemente Passepartout, que huyó a su vez, dejando al energúmeno predicador en el desierto.

Durante la conferencia, el tren había marchado rápidamente, y, hacia las doce y media, bordeaba la punta noroeste del gran Lago Salado, desde la que se dominaba, en un vasto perímetro, la vista de ese mar interior, que lleva también el nombre de Mar Muerto, en el que desemboca un nuevo Jordán americano. Lago admirable, rodeado de bellas peñas

Lago admirable

agrestes, cubiertas de blanca sal. Tan gran extensión de agua cubría antes un espacio mucho mayor, pero al elevarse con el tiempo sus orillas se ha reducido su superficie a la vez que ha aumentado su profundidad.

El Lago Salado, de unas setenta millas de largo por unas treinta y cinco de ancho, está situado a tres mil ochocientos pies sobre el nivel del mar. Muy diferente del lago Asfaltita [1], cuya depresión alcanza mil doscientos pies bajo el nivel del mar, su salinidad es muy elevada y sus aguas tienen en disolución el cuarto de su peso en materia sólida. Su peso específico es de 1.170, siendo de 1.000 el del agua destilada. Por eso los peces no pueden vivir en sus aguas. Los lanzados a ellas por los ríos Jordán, Weber y otros riachuelos perecen en seguida. Pero no es cierto que la densidad de sus aguas sea tan elevada como para que un hombre no pueda sumergirse en ellas.

Alrededor del lago, el campo estaba magníficamente cultivado, pues los mormones son buenos agricultores. Ranchos y corralizas para los animales domésticos, campos de trigo, de maíz y de sorgo, praderas lujuriantes, setos vivos de rosales silvestres, de acacias y de euforbios, tal hubiese sido el aspecto del paisaje seis meses después; pero en aquellos momentos, el suelo desaparecía bajo una delgada capa de nieve que lo espolvoreaba ligeramente.

A las dos, los viajeros descendieron del tren en la estación de Ogden. El tren no reemprendería la marcha hasta las seis. Fogg, Aouda y sus dos compañeros tenían tiempo para ir a la Ciudad de los Santos por el estrecho camino que sale de la estación de Ogden. Dos horas eran tiempo más que suficiente para visitar esa ciudad típicamente americana y, como tal, edificada sobre el patrón de todas las ciudades de la Unión, el de un vasto tablero de ajedrez con «la lúgubre tristeza de los ángulos rectos», según la expresión de Victor

---

1. Mar Muerto. (*N. del T.*)

Hugo. El fundador de la Ciudad de los Santos no podía escapar a esa necesidad de simetría que distingue a los anglosajones. En este singular país, en el que los hombres no están ciertamente a la altura de las instituciones, todo se hace a golpe de escuadra, tanto las ciudades y las casas como las tonterías.

A las tres de la tarde los viajeros se paseaban por las calles de la ciudad, edificada entre las orillas del Jordán y las primeras estribaciones de los montes Wahsatch. Vieron pocas iglesias en una ciudad que tiene por únicos monumentos la casa del profeta, el palacio de justicia y el arsenal. Las casas eran de ladrillo, de color azulado, con balcones y miradores, y estaban rodeadas de jardines con acacias, palmeras y algarrobos. Una muralla de adobe y de piedras, construida en 1853, circundaba la ciudad. En la calle principal, en la que se asienta el mercado, había varios hoteles ornados de banderas, entre ellos el Lake-Salt-House.

Fogg y sus compañeros hallaron poco animada la ciudad. Las calles estaban casi desiertas, salvo la parte del templo, a la que accedieron tras haber atravesado varios barrios rodeados de empalizadas. Las mujeres eran muy numerosas, como cabía esperar de la peculiar composición de los hogares mormones. No debe creerse, sin embargo, que todos los mormones son polígamos. Son libres de serlo o no, pero hay que decir que son las ciudadanas del Utah las que manifiestan particular empeño en contraer matrimonio, pues, según la religión del país, el cielo mormón no admite el acceso de las mujeres solteras a sus beatitudes. Esas pobres criaturas no parecían ser particularmente felices ni gozar de una existencia holgada. Algunas, las más ricas seguramente, llevaban un chaquetón de seda negra abierto por el talle, bajo una capucha o un chal muy modesto; otras, la mayoría, vestían simplemente de lino o algodón.

En su condición de soltero empedernido, Passepartout miraba con cierto horror a aquellas mormonas que debían asegurar colectivamente la felicidad de un solo mormón. Pero eran los maridos quienes le inspiraban más lástima. Le parecía terrible tener que guiar a tantas mujeres a la vez por las vicisitudes de la vida, tener que conducirlas en rebaño al paraíso mormón, con la perspectiva de reencontrarlas allí para toda la eternidad, en compañía del glorioso Smyth, ornamento de ese lugar de delicias. Decididamente, él no tenía vocación para eso y le parecía –erróneamente quizá– que las ciudades de Great-Lake-City le dirigían miradas un tanto inquietantes.

Afortunadamente, su permanencia en la Ciudad de los Santos debía ser muy breve. Poco después, los viajeros se encontraban de nuevo en la estación y volvían a ocupar sus lugares en el tren. La locomotora emitió su silbido de partida. En el momento en que sus ruedas motrices, deslizándose sobre los raíles, comenzaban a imprimir velocidad al tren, se oyeron gritos de «¡Alto! ¡Alto!». No se puede detener un tren en marcha. El hombre que profería esos gritos era un mormón rezagado, que corría desesperadamente. Afortunadamente para él, la estación no tenía puertas ni barreras. Corrió por el andén, saltó al estribo del último vagón y cayó poco después, desfallecido, sobre un asiento.

Passepartout, que había seguido con emoción la formidable carrera, se acercó al rezagado, por quien cobró un vivo interés cuando se enteró de que el motivo de la huida del ciudadano del Utah no era otro que una disputa conyugal.

Cuando el mormón hubo recuperado el aliento, Passepartout se arriesgó a preguntarle cortésmente cuántas mujeres tenía para él solo, pues por el modo de fugarse cabía suponerle una veintena al menos.

–¡Una, señor! –respondió el mormón, alzando los brazos al cielo–. ¡Una y ya es bastante!

Capítulo 28
En el que Passepartout no logra hacer oír el lenguaje de la razón

Tras abandonar Great-Salt-Lake y la estación de Ogden, el tren se dirigió durante una hora hacia el Norte, hasta el río Weber, a unas novecientas millas de San Francisco. A partir de ese punto volvió a tomar la dirección del Este, a través del accidentado macizo de los montes Wahsatch. Fue en esta parte del territorio, entre estas sierras y las Montañas Rocosas propiamente dichas, donde los ingenieros americanos hallaron las más serias dificultades en el tendido del ferrocarril. Por ello en este sector la subvención del gobierno de la Unión se elevó a 48.000 dólares por milla, contra la de 16.000 asignada al tendido en los llanos. Pero los ingenieros, como ya se ha dicho, no violentaron a la naturaleza, sino que se plegaron a ella lo más posible, orillando las dificultades, y así es como lograron alcanzar la gran cuenca sin horadar más que un solo túnel, de 14.000 pies de longitud, a lo largo de todo ese recorrido.

La máxima cota de altitud de la línea venía dada hasta entonces por el Lago Salado. Desde ese punto el perfil de la línea describe una curva muy alargada que desciende hacia el valle del arroyo Bitter, para descender seguidamente hasta la región divisoria de las cuencas del Atlántico y el Pacífico.

Los ríos son numerosos en esa región montañosa. Hubo que salvar con puentes los ríos Muddy, Green y otros muchos.

Passepartout manifestaba una creciente impaciencia a medida que se acercaban al término del viaje. Por su parte, Fix hubiera querido hallarse ya fuera de esa difícil comarca. Temía los retrasos, se inquietaba por posibles accidentes y tenía más prisa que el propio Phileas Fogg por llegar a Inglaterra.

A las diez de la noche el tren se detuvo en la estación de Fort Bridger, que abandonó en seguida, y tras recorrer veinte millas más entró en el estado de Wyoming –el antiguo Dakota– siguiendo todo el valle del arroyo Bitter, de donde surge una parte de las aguas que forman el sistema hidrográfico del Colorado.

Al día siguiente, el 7 de diciembre, el tren hizo una parada de un cuarto de hora en la estación de Green-River. Había nevado abundantemente durante la noche, pero la nieve, mezclada con lluvia y semifundida, no podía estorbar la marcha del tren. No obstante, el mal tiempo no dejaba de inquietar a Passepartout, que temía que la acumulación de la nieve obstaculizara la marcha del tren y retrasara su llegada. «¡Qué idea la del señor Fogg de viajar en invierno! ¿No podía haber esperado la buena estación para aumentar sus probabilidades de éxito?»

Mientras el buen muchacho se preocupaba por el estado del cielo y la reducción de la temperatura, Aouda sentía temores más vivos, procedentes de una causa muy distinta. En efecto, algunos viajeros habían descendido del tren y se paseaban por el andén de la estación de Green-River, aguardando la salida del convoy. Y a través de la ventanilla Aouda había reconocido entre ellos al coronel Stamp W. Proctor, el americano que tan groseramente había tratado a Phileas Fogg durante el *meeting* de San Francisco. Para evitar ser vista, Aouda se había retirado de la ventanilla. Este descubrimiento impresionó vivamente a la joven, que cada día se sentía más ligada al hombre que, por muy fríamente que lo hiciese, le prodigaba continuamente pruebas de la mayor abnegación. No comprendía ella todavía la profundidad del sentimiento que le inspiraba su salvador, pero aun cuando no le diera otro nombre que el de la gratitud, había en ese sentimiento, sin que fuera consciente de ello, algo más. Por eso sintió que se le oprimía el corazón al reconocer al grosero personaje, a quien Phileas Fogg quería pedir una explicación de su conducta. Era el azar quien había llevado a ese tren al coronel Proctor, pero puesto que allí estaba, había que impedir a toda costa que Phileas Fogg se percatase de la presencia de su adversario.

Reanudada ya la marcha del tren, Aouda aprovechó un momento en que Fogg dormitaba para poner a Fix y a Passepartout al corriente de la situación.

–¡Ah! Así que Proctor está en el tren –dijo Fix–; pues bien, tranquilícese, señora, que antes de vérselas con el señor Fogg tendrá que habérselas conmigo. Me parece que en todo esto soy yo quien ha resultado más ofendido.

–Voy a encargarme yo de él –dijo Passepartout–, por muy coronel que sea.

–Señor Fix –respondió Aouda–, no crea usted que el señor Fogg permitirá a nadie vengarle. Es muy capaz, y lo ha dicho, de regresar a América para buscar a ese insolente. Como vea al coronel Proctor, no podremos impedir un encuentro de fatales consecuencias. Hay que evitar que lo sea.

–Tiene usted razón, señora –admitió Fix–. Un choque entre ellos podría resultar peligroso. Vencedor o vencido, Fogg se retrasaría y...

–Y –encadenó Passepartout– eso beneficiaría a los caballeros del Reform-Club. Dentro de cuatro días estaremos en Nueva York. Pues bien, si durante esos cuatro días el señor Fogg no sale de este vagón, puede esperarse que la casualidad no le ponga frente a ese maldito americano, al que Dios confunda. Sabremos impedirlo.

Interrumpieron la conversación al ver que Fogg se había despertado en ese momento y miraba el paisaje a través de la ventanilla espolvoreada de nieve.

Más tarde, sin que ni Fogg ni Aouda pudieran oírle, Passepartout preguntó a Fix:

–¿Es cierto que está usted dispuesto a batirse por él?

–Haría cualquier cosa porque regrese con vida a Europa –respondió simplemente Fix, en un tono que denunciaba una implacable voluntad.

Al oírlo, Passepartout sintió un escalofrío recorrerle todo el cuerpo, pero sus convicciones respecto a la inocencia del señor Fogg se mantuvieron inalterables.

¿Habría algún medio de retener a Fogg en ese vagón a fin de evitar todo posible encuentro con el coronel? No parecía difícil conseguirlo, dada la naturaleza sedentaria del *gentleman* y su nula curiosidad. El inspector de policía creyó haber hallado el medio ideal e instantes después decía a Phileas Fogg:

–¡Qué largo y pesado se hace el tiempo en tren!

–Sí, señor –respondió Fogg–, pero va pasando.

–En el barco acostumbraba usted a pasar el tiempo jugando al *whist* –dijo el inspector.

–Sí, pero aquí parece imposible. No tengo ni naipes ni jugadores.

–¡Oh! Los naipes podemos comprarlos. En este tren venden de todo. Y en cuanto a los jugadores, si, por casualidad, la señora...

–Ciertamente, señor –dijo vivamente la joven–, sé jugar al *whist*. Eso forma parte de la educación inglesa.

–Por mi parte, creo poder afirmar que juego bastante bien. De modo que entre los tres y un muerto...

–Como usted guste –respondió Phileas Fogg, encantado de reanudar su juego favorito.

Se envió a Passepartout en busca del *steward* y regresó en seguida con dos juegos completos de naipes, fichas y una mesita recubierta de un tapete de fieltro. No faltaba nada. Empezó el juego. Aouda conocía suficientemente el *whist*, hasta el punto de merecer las felicitaciones del severo Phileas Fogg. El inspector era un jugador de primera clase, digno de enfrentarse con el asiduo jugador del Reform-Club.

«Ya es nuestro –se dijo Passepartout–. No se moverá.»

A las once de la mañana el tren alcanzó la línea divisoria de las cuencas de los dos océanos, en Passe-Bridger, a una altitud de 7.584 pies ingleses sobre el nivel del mar, uno de los más altos lugares de la vía férrea en su paso por las Montañas Rocosas. Unas doscientas millas más adelante los viajeros se hallarían, por fin, en las largas llanuras que se extienden hasta el Atlántico, tan propicias para el tendido de los ferrocarriles.

En la vertiente de la cuenca atlántica se desarrollaban ya los primeros ríos, afluentes o subafluentes del North-Platte. Todo el horizonte del Norte y del Este estaba cubierto por la inmensa cortina semicircular que forma la parte septentrional de las Montañas Rocosas, dominada por el pico Laramie. Entre ese círculo y la línea ferroviaria se extendían vastas llanuras, abundantemente irrigadas. A la derecha de la vía aparecían las primeras rampas del macizo montañoso que se extiende al Sur hasta las fuentes del Arkansas, uno de los grandes tributarios del Missouri.

A las doce y media los viajeros pudieron divisar por unos instantes el fuerte Halleck, que domina esa comarca. Faltaban ya tan sólo unas horas para dejar atrás las Montañas Rocosas. Podía esperarse que el paso del tren por tan difícil región se produciría sin el menor incidente. La nevada había cesado y el frío se había hecho muy seco. Grandes pájaros, espantados por la locomotora, huían a lo lejos. Ninguna fiera, lobo u oso, en la llanura. Era el desierto en su inmensa desnudez.

Tras haber almorzado en el mismo vagón, Fogg y sus compañeros acababan de reanudar su interminable partida de *whist* cuando se oyeron unos violentos silbidos, momentos antes de que se detuviera el tren.

Passepartout se asomó sin ver nada que pudiera motivar la parada. No se hallaban en una estación.

Aouda y Fix temieron por un instante que Fogg se apeara del tren, pero el *gentleman* se limitó a decir a Passepartout:

–Vaya a ver qué pasa.

Passepartout se apeó con una cuarentena de viajeros, entre los que se hallaba el coronel Stamp W. Proctor.

El tren se había detenido ante una señal roja que cerraba la vía. El maquinista y el revisor, que habían descendido a su vez, discutían vivamente con un guardavía enviado allí por el jefe de la estación más próxima, la de Medicine-Bow. Algunos viajeros se habían acercado al grupo y participaban en la discusión, entre otros el coronel Proctor, con su fuerte voz y sus gestos imperativos. Passepartout se aproximó y oyó decir al guardavía:

–No, no hay medio de pasar. El puente de Medicine-Bow está vacilante y no soportaría el peso del tren.

El puente de que hablaba era un puente colgante, lanzado sobre un río torrentoso, a una milla del lugar en que se había parado el tren. Según el guardavía, el puente amenazaba ruina por haberse roto varios cables y era imposible arriesgarse a pasarlo. Decía no exagerar en lo más mínimo al afirmar la imposibilidad de atravesarlo. Y conocida como es la temeridad de los americanos, puede decirse que cuando se muestran prudentes sería una locura no hacerles caso.

No atreviéndose a informar a Fogg de tan grave contrariedad, Passepartout escuchaba, los dientes apretados, inmóvil como una estatua.

–¡Pero supongo que no vamos a quedarnos aquí a echar raíces en la nieve! –protestaba estentóreamente el coronel Proctor.

–Coronel –dijo el revisor–, se ha telegrafiado a la estación de Omaha pidiendo un tren, pero es improbable que llegue a Medicine-Bow en menos de seis horas.

–¡Seis horas! –exclamó Passepartout.

–Así es –respondió el revisor–. Además, es el tiempo que necesitaremos para llegar a pie a la estación.

–¿Cómo? ¿A pie? –dijeron todos los viajeros.

–¿A qué distancia está, entonces, esa estación? –preguntó uno de ellos al maquinista.

–A doce millas del río.

–¡Doce millas a pie por la nieve! –exclamó Stamp W. Proctor, quien prosiguió expresando su indignación con una sarta de palabrotas y de maldiciones a la compañía y al revisor.

Furioso, Passepartout le habría coreado de buena gana. Se encontraban con un obstáculo material contra el que nada podrían esta vez los billetes de Phileas Fogg.

El descontento era general entre los viajeros, quienes, sin contar con el retraso que iban a sufrir, se verían obligados a andar una docena de millas a través de la llanura cubierta de nieve. Se produjo un enorme alboroto de protesta, que hubiera debido atraer la atención de Phileas Fogg de no hallarse éste absorbido por el juego.

Passepartout no podía diferir por más tiempo la comunicación del incidente y se dirigía ya, todo cabizbajo, hacia el vagón cuando el maquinista, un verdadero yanqui, llamado Forster, dijo elevando la voz:

–Señores, quizá haya un medio de pasar.

–¿Por el puente?

–Por el puente.

–¿Con nuestro tren? –preguntó el coronel.

–Con nuestro tren.

Passepartout se había detenido y parecía devorar las palabras del maquinista.

–Pero ¡si el puente amenaza ruina! –dijo el revisor.

–No importa –dijo Forster–. Yo creo que lanzando el tren a su máximo de velocidad habría algunas posibilidades de pasar.

–¡Diantre! –dijo Passepartout.

Algunos viajeros se manifestaron inmediatamente seducidos por la proposición. Al coronel Proctor le excitó particularmente. Aquel tarambana lo encontraba muy factible y defendió la idea, diciendo que algunos ingenieros habían concebido el proyecto de atravesar los ríos sin puentes mediante trenes rígidos lanzados a toda velocidad. Todos los interesados apoyaron la idea del maquinista.

–Tenemos cincuenta probabilidades contra cien –decía uno.

–Sesenta –replicaba otro.

–Ochenta…, noventa contra cien.

Passepartout estaba estupefacto, pues aunque se hallara dispuesto a todo con tal de atravesar el río Medicine, la tentativa le parecía un poco demasiado «americana».

«Pero –se dijo– hay algo mucho más sencillo y a esta gente ni se le ha ocurrido…»

–Oiga –dijo a uno de los viajeros–, el medio propuesto por el maquinista me parece un poco arriesgado, pero…

–¡Ochenta probabilidades! –respondió el viajero, que le volvió la espalda.

–Lo sé, lo sé –respondió Passepartout, dirigiéndose a otro viajero–, pero una simple reflexión…

–¡No hay reflexión que valga! Es inútil darle más vueltas, puesto que el maquinista asegura que pasaremos… –respondió el americano interpelado alzándose de hombros.

–Sin duda, claro que pasaremos –insistió Passepartout–, pero quizá fuera más prudente…

–¡Cómo! ¡Prudente! –exclamó el coronel Proctor, al que exasperó la expresión– ¡A gran velocidad le han dicho! ¿Comprende usted? ¡Al máximo de velocidad!

–Lo sé… Lo entiendo –repetía Passepartout, que no conseguía acabar su frase–, pero digo que sería, si no más prudente, puesto que le choca la expresión, sí, al menos, más lógico…

El puente, definitivamente roto, se hundía con estrépito

–¿Cómo? ¿Qué? ¿Qué dice ése con su lógica? –preguntaban de todas partes.

El pobre muchacho no sabía ya a quién dirigirse para hacerse oír.

–¿Es que tiene usted miedo? Pues dígalo de una vez –dijo el coronel Proctor.

–¿Miedo yo? ¡Pues bien, adelante! Les voy a demostrar que un francés puede ser tan americano como ustedes.

–¡Al tren, al tren! –gritó el maquinista.

«Sí, al tren, al tren –se decía Passepartout–. Y en seguida. Pero nadie podrá impedirme pensar que hubiese sido más lógico que pasáramos primero los viajeros a pie por el puente y luego el tren.»

Pero nadie oyó esta prudente reflexión y probablemente, de haberla oído, nadie hubiera reconocido su conveniencia.

Los viajeros se reintegraron a sus asientos. Passepartout volvió al suyo sin decir nada de lo que ocurría. Los jugadores estaban completamente enfrascados en su *whist*.

La locomotora silbó poderosamente. El maquinista cambió la dirección haciendo retroceder al tren casi una milla, como un atleta que toma impulso. Un nuevo silbido anunció que el tren reemprendería su marcha hacia adelante, con una progresiva aceleración que culminó en una tremenda velocidad. No se oía más que el rugido de la locomotora. Los pistones daban veinte golpes por segundo, los ejes de las ruedas humeaban. Se notaba, por así decirlo, que el tren entero, a una velocidad de cien millas por hora, no pesaba sobre los raíles. La velocidad neutralizaba la gravedad.

¡Y pasó! Fue como un relámpago. No se vio el puente, como si el tren hubiera saltado de una a otra orilla. El maquinista no pudo detener su máquina desbocada sino cinco millas más allá de la estación. Pero apenas había pasado el tren el río cuando el puente, definitivamente roto, se hundía con estrépito en el torrente de Medicine-Bow.

Capítulo 29
En el que se relatan diversos incidentes que sólo pueden ocurrir en los trenes de la Unión

Aquella misma tarde el tren, prosiguiendo su marcha sin más obstáculos, dejó atrás el fuerte Saunders, atravesó el paso de Cheyenne y llegó al de Evans, que marca el lugar más elevado de la línea férrea, a 8.491 pies sobre el nivel del mar. Los viajeros no tenían ya más que descender hasta el Atlántico sobre esas llanuras sin límites, niveladas por la naturaleza.

Allí se hallaba el empalme del ramal de Denver, la principal ciudad de Colorado, territorio rico en minas de oro y plata, en el que más de cincuenta mil habitantes han fijado su residencia.

En aquel momento se habían recorrido ya 1.382 millas desde su salida de San Francisco, en tres días y tres noches. Cuatro noches y cuatro días serían todavía necesarios para llegar a Nueva York. Phileas Fogg se mantenía en los límites de su programa.

Durante la noche dejaron a su izquierda el campamento de Walbah. El río Lodge Pole corría paralelamente a la vía, siguiendo la rectilínea frontera de los estados del Wyoming y del Colorado. A las once entraron en el estado de Nebraska, pasaron cerca del Sedgwick y llegaron a Julesburgh, a

orillas del South Platte. Éste es el lugar en que se inauguró el
23 de octubre de 1867 el Union Pacific, cuyo ingeniero jefe
fue el general J. M. Dodge. Allí se detuvieron las dos podero-
sas locomotoras que remolcaban nueve vagones llenos de
invitados, entre los que figuraba el vicepresidente Thomas
C. Durant. Allí resonaron las aclamaciones, se presenció el
espectáculo de una pequeña guerra india interpretada por
los sioux y los pawnies, se asistió al lanzamiento de fuegos
artificiales y se publicó, por medio de una imprenta portátil,
el primer número del *Railway Pioneer*. Así se celebró la inauguración de este gran ferrocarril, instrumento de progreso y
de civilización lanzado a través del desierto y destinado a
unir entre sí a ciudades que no existían aún. El silbido de la
locomotora, más potente que la lira de Anfión, iba a hacer-
las surgir pronto del suelo americano.

A las ocho de la mañana había quedado atrás el fuerte
Macpherson, situado a 357 millas de Omaha. La vía férrea
seguía, por la orilla izquierda, las caprichosas sinuosidades
del South Platte. A las nueve llegaban a la importante ciudad
de North Platte, edificada entre los dos brazos del gran río,
unidos en torno suyo en una sola arteria, cuyas aguas se con-
funden con las del Missouri un poco por encima de Omaha.

El meridiano 101 había sido dejado atrás.

Fogg y sus acompañantes continuaban jugando. Ninguno
se quejaba de la duración del viaje, ni tan siquiera «el muerto». Fix había ganado al principio algunas guineas que a la
sazón iba perdiendo, pero se mostraba no menos apasiona-
do que Fogg, a quien la suerte estaba favoreciendo singularmente aquella mañana prodigándole triunfos y honores. En
un determinado momento, tras haber combinado un golpe
audaz, se disponía a jugar picas cuando se oyó tras él una voz
que decía:

–Yo jugaría diamantes.

Fogg, Aouda y Fix levantaron la cabeza. El coronel Proctor estaba ante ellos.

– Yo jugaría diamantes

Stamp W. Proctor y Phileas Fogg se reconocieron inmediatamente.

–¡Ah! Es usted, el inglés –dijo el coronel–, es usted el que quiere jugar picas.

–Y quien los juega –respondió fríamente Phileas Fogg, echando un diez del palo.

–Yo prefiero los diamantes –replicó Proctor en un tono irritado, a la vez que hacía el gesto de tomar la carta jugada y añadía–: No sabe usted jugar.

–Quizá sea yo más hábil en otro juego –dijo, levantándose, Phileas Fogg.

–Espero que lo demuestre, hijo de John Bull –replicó el grosero personaje.

Aouda había palidecido. Toda su sangre había afluido al corazón. Agarró por un brazo a Phileas Fogg, que la rechazó suavemente. Passepartout estaba dispuesto a lanzarse sobre el americano, que miraba a su adversario de forma provocativa. Fix se levantó y, dirigiéndose al coronel Proctor, le dijo:

–Olvida usted que es conmigo con quien tiene que vérselas. Fue a mí a quien no sólo insultó, sino también golpeó.

–Señor Fix –dijo Fogg–, le ruego me excuse, pero éste es asunto mío. Al pretender que yo me equivocaba al jugar picas, el coronel me ha infligido una nueva ofensa, de la que va a darme satisfacción.

–Cuando quiera, como quiera y con el arma que quiera –respondió el americano.

Aouda trató vanamente de retener a Fogg. El inspector trató no menos inútilmente de asumir el protagonismo de la querella. Passepartout hizo ademán de agarrar al coronel para tirarlo por la ventanilla, pero un gesto de Fogg le detuvo. Phileas Fogg salió del vagón, seguido del americano.

–Señor –dijo Fogg a su adversario–, tengo mucha prisa por regresar a Europa y un retraso cualquiera perjudicaría seriamente a mis intereses.

–Y eso ¿qué me importa?

–Señor –prosiguió cortésmente Fogg–, tras nuestro encuentro en San Francisco había tomado la decisión de volver a América para encontrarle, una vez terminados los asuntos que me reclaman en Europa.

–¡Vaya! ¿De veras?

–¿Quiere usted darme una cita dentro de seis meses?

–¿Y por qué no dentro de seis años?

–He dicho seis meses y acudiré puntualmente a la cita.

–¡Basta de subterfugios! Ahora o nunca –dijo el coronel.

–De acuerdo. ¿Va usted a Nueva York?

–No.

–¿A Chicago?

–No.

–¿A Omaha?

–Eso no le importa. ¿Conoce usted Plum-Creek?

–No –respondió Fogg.

–Es la próxima estación. Llegaremos dentro de una hora. El tren para allí diez minutos. El tiempo suficiente para cambiar un par de tiros.

–De acuerdo. Me detendré en Plum-Creek.

–Creo que se quedará allí –añadió el americano con una perfecta insolencia.

–¿Quién sabe, señor? –respondió Fogg, quien le dio la espalda y se dirigió, tan frío como siempre, a su vagón.

Fogg debió tranquilizar a Aouda, lo que hizo diciéndole que los fanfarrones no son de temer. Luego rogó a Fix que le sirviera de testigo en el duelo. Fix no podía rehusar, y Phileas Fogg prosiguió tranquilamente su partida interrumpida, jugando piques con una calma perfecta.

A las once el silbido de la locomotora anunció la llegada a la estación de Plun-Creek. Fogg se levantó y, seguido de Fix, se dirigió a la plataforma. Passepartout le acompañaba, llevando un par de revólveres. Aouda se quedó en el asiento, con una palidez mortal en su rostro.

En aquel momento la puerta del otro vagón se abrió para dar paso al coronel Proctor, seguido de su testigo, un yanqui de su calaña. Pero en el instante en que los dos adversarios iban a descender al andén, el revisor se acercó corriendo y les gritó:

–No pueden descender, señores.

–¿Por qué? –preguntó el coronel.

–Porque tenemos veinte minutos de retraso.

–Pero yo tengo que batirme en duelo con este señor.

–Lo siento –respondió el empleado–, pero partimos inmediatamente. ¿Lo ve? Ya suena la campana.

Sonaba la campana, en efecto, y el tren se puso en marcha.

–Desolado, señores –dijo el revisor–. En cualquier otra circunstancia hubiera hecho todo por complacerles. Pero, después de todo, puesto que no han tenido tiempo aquí, ¿por qué no se baten en marcha?

–Quizá eso no le convenga al señor –dijo Proctor con un tono despectivo de voz.

–Me conviene perfectamente –respondió Phileas Fogg.

«Decididamente estamos en América –pensó Passepartout–, y el revisor es un hombre de mundo.»

Precedidos del revisor, los dos adversarios y sus testigos se dirigieron a la cola del tren, pasando de un vagón a otro. El último vagón estaba ocupado tan sólo por una decena de viajeros, a los que el revisor pidió que tuvieran la amabilidad de dejar campo libre a dos caballeros que tenían pendiente de resolver una cuenta de honor. ¡Cómo no! Los viajeros se manifestaron muy dichosos de poder complacer a los dos caballeros y se retiraron a la plataforma.

El vagón, de unos cincuenta pies de longitud, se prestaba muy bien a las necesidades del caso. Los dos adversarios podían marchar uno hacia el otro entre los asientos y tirotearse a gusto. Nunca se concertó un duelo con tanta facilidad como aquél. Fogg y el coronel Proctor, provistos cada uno de dos revólveres de seis tiros, entraron en el vagón, en el que fueron encerrados por sus testigos, que permanecieron fuera. Debían abrir el fuego al primer silbido de la locomotora. Luego, pasados dos minutos, se retiraría del vagón lo que quedara de los contendientes. Nada más simple, en verdad. Era tan sencillo que Fix y Passepartout sentían latir sus corazones como si fueran a romperse.

Se estaba a la espera del silbido concertado, cuando súbitamente se oyó un salvaje griterío, acompañado de detonaciones. Pero éstas no procedían del vagón reservado a los duelistas, sino de todo el tren y desde la cabeza del mismo. Gritos de terror se oían a lo largo de todo el tren.

El coronel Proctor y Fogg salieron en seguida del vagón, revólver en mano, y se precipitaron hacia la parte delantera del tren, donde eran más intensos los gritos y las detonaciones. Habían comprendido que el tren era atacado por una banda de sioux.

No era la primera vez que esos audaces indios intentaban detener un tren en marcha. Según su costumbre, se lanzaban en número no inferior a un centenar sobre los estribos con la agilidad con que un caballista circense se sube a un caballo al galope.

Los sioux iban provistos de fusiles. De ahí las detonaciones, a las que los viajeros, casi todos armados, respondían con tiros de revólver. Los indios habían atacado en primer lugar a la locomotora y puesto rápidamente fuera de combate al maquinista y al fogonero, a quienes habían golpeado en la cabeza hasta dejarlos sin sentido. Un jefe sioux intentó detener el tren, pero no sabiendo maniobrar la palanca del regulador había abierto la llave del vapor en vez de cerrarla y la locomotora corría a una velocidad espantosa.

En gran número, los sioux habían invadido también los vagones, por cuyos pasillos corrían como monos furiosos, hundiendo las puertas y luchando cuerpo a cuerpo con los viajeros. El furgón de los equipajes había sido saqueado y los

Los sioux habían invadido también los vagones

bultos lanzados a la vía. No cesaban ni los gritos ni los disparos.

Los viajeros se defendían valerosamente. Algunos vagones sostenían un verdadero sitio, como fuertes ambulantes, desplazándose a una velocidad de cien millas por hora.

Desde el comienzo del ataque Aouda se había portado valientemente. Revólver en mano, se defendía heroicamente tirando a través de los cristales rotos cuando algún salvaje se le ponía a tiro. Mortalmente heridos, unos veinte sioux habían caído sobre la vía, y las ruedas de los vagones aplastaban como a gusanos a los que caían a los raíles desde las plataformas.

Varios viajeros, gravemente heridos por las balas o las porras, yacían sobre los asientos.

Era necesario acabar pronto, pues la lucha duraba ya diez minutos y si el tren no se detenía acabaría con la victoria de los sioux. En efecto, apenas faltaban dos millas para llegar a la estación del fuerte Kearney, donde había una guarnición de soldados, pero una vez pasado ese lugar los sioux acabarían imponiéndose y haciéndose los dueños del tren.

El revisor luchaba al lado de Phileas Fogg cuando fue derribado por un balazo. Al caer, el hombre gritó:

–Estamos perdidos si el tren no se detiene antes de cinco minutos.

–Se detendrá –dijo Phileas Fogg, que inmediatamente se dispuso a salir del vagón.

–¡Quédese, señor, yo me ocuparé de eso! –le gritó Passepartout.

Phileas Fogg no pudo detener al valeroso muchacho que, tras abrir la puerta sin ser visto por los indios, consiguió deslizarse bajo el vagón. Y mientras continuaba la lucha y el tiroteo, Passepartout, recuperando su agilidad y habilidad circense, avanzó de vagón en vagón, agarrándose a las cadenas, a la palanca de los frenos y a los laterales del chasis, hasta conseguir llegar a la cabecera del tren sin que nadie le vie-

Agarrado con una sola mano entre el furgón de los equipajes…

ra. Agarrado con una sola mano entre el furgón de los equipajes y el ténder, desenganchó con la otra las cadenas de seguridad. Pero a consecuencia de la tracción operada, nunca hubiera podido liberar la barra de enganche si no la hubiera hecho oportunamente saltar una fuerte sacudida de la locomotora. Desenganchado, el tren se fue quedando atrás mientras la locomotora proseguía su marcha veloz. Impulsado por la fuerza de inercia, el tren rodó aún durante algunos minutos, pero la manipulación de los frenos desde el interior de los vagones consiguió su total detención a menos de cien pasos de la estación de Kearney. Los soldados del fuerte, atraídos por las detonaciones, acudieron a toda prisa, pero llegaron tarde. Los sioux no habían esperado la parada del tren para darse a la fuga.

Cuando se hizo el recuento de los viajeros en la estación se vio que faltaban algunos, y entre ellos el valeroso francés cuya heroica acción les había salvado.

Capítulo 30
En el que Phileas Fogg cumple simplemente con su deber

Tres viajeros, Passepartout incluido, habían desaparecido. ¿Muertos en combate o prisioneros de los sioux? Se ignoraba.

Los heridos eran bastante numerosos, pero ninguno de ellos se hallaba en peligro de muerte. Uno de los más graves era el coronel Proctor, que se había batido valerosamente y recibido un tiro en la ingle. Se le trasladó inmediatamente a la estación con los demás viajeros que necesitaban cuidados inmediatos.

Aouda estaba sana y salva. Phileas Fogg no presentaba ni un rasguño, pese al denuedo con que había combatido. Fix tenía una herida sin importancia en un brazo. Pero faltaba Passepartout y su ausencia hacía llorar a la joven viuda.

Se habían apeado todos los viajeros. Las ruedas de los vagones estaban manchadas de sangre. De los cubos y de los radios pendían informes jirones de carne. Largos regueros de sangre manchaban de rojo la nieve. Los últimos indios fugitivos desaparecían por el Sur, hacia el río Republican.

Inmóvil, con los brazos cruzados, Fogg reflexionaba. Tenía que tomar una grave decisión. Aouda, a su lado, le miraba en silencio. Él comprendió su mirada. Si Passepartout había sido hecho prisionero, ¿no debía arriesgar todo por salvarle?

–Le hallaré, vivo o muerto –le dijo Fogg.

–¡Ah, señor..., señor Fogg! –exclamó Aouda, tomando las manos de su compañero, que ella cubrió de lágrimas.

–Vivo, si no perdemos un minuto –añadió Fogg.

Al tomar tal decisión, Fogg consumaba su sacrificio. Acababa de decretar su ruina. Un solo día de retraso bastaba para hacerle perder su paquebote en Nueva York, y con él su apuesta, irrevocablemente. Pero no había vacilado ni un instante al formularse mentalmente: «Es mi deber».

El capitán al mando de la guarnición del fuerte Kearney estaba allí. Sus soldados, un centenar aproximadamente, estaban en formación de combate ante la eventualidad de un ataque de los sioux a la estación.

–Señor –dijo Fogg al capitán–, han desaparecido tres viajeros.

–¿Muertos?

–Muertos o prisioneros –respondió Fogg–. Es una incertidumbre que hay que despejar. ¿Tiene usted la intención de perseguir a los sioux?

–Es un asunto grave, señor. Esos indios pueden huir hasta más allá del Arkansas. Yo no puedo abandonar el fuerte que se me ha confiado.

–Se trata de la vida de tres hombres –dijo Fogg.

–Cierto. Pero ¿puedo arriesgar la vida de cincuenta por salvar a tres?

–Yo no sé si puede, señor, pero sí sé que debe.

–Oiga, no necesito que nadie me enseñe cuál es mi deber.

–Está bien –dijo fríamente Phileas Fogg–. En ese caso iré solo.

–¡Usted! –exclamó Fix, que se había acercado a ellos–. ¡Ir solo en persecución de los indios!

–¿Quiere usted que deje perecer a ese infortunado muchacho, a quien todos debemos la vida? Iré.

–No tendrá que ir solo –dijo el capitán, emocionado a su pesar por la determinación de aquel hombre– Es usted un valiente. ¡A ver! Treinta voluntarios –añadió dirigiéndose a sus soldados.

Toda la compañía dio un paso al frente. El capitán eligió a treinta de ellos y les puso un sargento al frente.

–Gracias, capitán –dijo Fogg.

–¿Me permite que le acompañe? –preguntó Fix a Fogg.

–Haga como guste –le respondió Fogg–; pero si quiere usted hacerme un favor, le ruego que permanezca junto a la señora. Y en caso de que me ocurriera algo...

El policía se puso intensamente pálido. ¡Separarse del hombre al que había seguido paso a paso con tanta constancia! ¡Dejarle aventurarse así en un desierto! Fix le miró atentamente y, pese a su desconfianza y al combate que se libraba en su fuero interno, debió bajar los ojos ante la mirada franca y serena del *gentleman*.

–De acuerdo, me quedaré.

Fogg fue a despedirse de la joven y a hacerle entrega de su precioso bolso de viaje. Pero antes de partir con el sargento y su pequeña tropa, dijo a los soldados:

–Mil libras de recompensa para ustedes si salvamos a los prisioneros.

Eran entonces las doce y pocos minutos.

Aouda se había instalado en una sala de la estación y allí, sola, esperaba, pensando en Phileas Fogg, en su grandiosa y sencilla generosidad, en su sereno valor. Fogg había sacrificado toda su fortuna y se disponía ahora a jugarse la vida, y ello sin frases ni vacilaciones, únicamente por su sentido del deber. Phileas Fogg era un héroe a sus ojos.

No pensaba así el inspector Fix, que, incapaz de contener su agitación, se paseaba febrilmente a lo largo del andén, sobrepuesto ya al momento de subyugación del que había sido víctima. Comprendía ahora la estupidez de haberle dejado partir. ¿Cómo había podido separarse de un hombre al que había seguido por más de medio mundo? Se recriminaba, se acusaba duramente, se trataba como lo haría el director de la policía metropolitana con un agente sorprendido en flagrante delito de ingenuidad. «¡Qué inepto he sido! –se decía–. Él ha debido enterarse de quién soy yo. Ha partido y no volverá. ¿Dónde hallarlo ahora? Pero... ¿cómo he podido dejarme subyugar yo, Fix, con una orden de arresto en mi bolsillo? Decididamente, soy un idiota.»

Así razonaba el inspector de policía, al que se le hacía interminable la espera. No sabía qué hacer. Luchaba contra la tentación de decírselo todo a Aouda, pero desistió de ello al imaginar la reacción de la joven. ¿Qué partido tomar? Tentado estuvo de salir en persecución de Fogg por las nevadas llanuras, siguiendo las huellas del destacamento en la nieve, pero hubo de desistir al ver que comenzaba a nevar de nuevo, borrando todas las huellas.

El desánimo sobrecogió a Fix, de quien se apoderó el irresistible deseo de abandonar la partida, justo en el momento en que se le iba a ofrecer la posibilidad de salir de la estación de Kearney y de proseguir un viaje tan fecundo para él en adversidades.

En efecto, hacia las dos de la tarde, mientras nevaba copiosamente, se oyeron unos fuertes silbidos procedentes del Este. Una enorme masa oscura precedida de un rojo resplandor avanzaba lentamente, como una sombra agigantada por la bruma que le daba un aspecto fantástico.

No se esperaba, sin embargo, que pudiera llegar tan pronto un tren de socorro –reclamado por telégrafo– procedente del Este. En cuanto al tren regular de Omaha a San Francisco, tan sólo pasaría por allí al día siguiente.

El enigma quedó pronto disipado. La locomotora que venía a poca velocidad lanzando agudos silbidos era la que, tras haber sido desenganchada del tren, había continuado su camino a gran velocidad con el maquinista y el fogonero inanimados a bordo. Durante varias millas había prosegui-

Una enorme masa oscura precedida de un rojo resplandor

do su loca carrera hasta que, falta de combustible, había ido reduciendo su velocidad hasta pararse a unas veinte millas de la estación de Kearney.

Al cabo de un muy prolongado desvanecimiento, el maquinista y el fogonero habían vuelto en sí. Cuando vieron que la máquina parada no tenía tras de sí el tren, comprendieron lo ocurrido, aun cuando no pudieran saber cómo se había desenganchado la locomotora. No era dudoso para ellos que el tren esperaba auxilio. El maquinista no dudó ni un momento lo que debía hacer. Continuar la marcha en la dirección de Omaha era lo más prudente. Retornar hacia el tren perdido, sometido todavía tal vez al saqueo de los indios, podía ser peligroso. Pero no importaba. Inmediatamente se pusieron a echar paletadas de leña y carbón a la caldera. Reanimado el fuego, la presión subió de nuevo y la locomotora inició su marcha atrás. Hacia las dos se acercaba silbando, entre la bruma, a la estación de Kearney.

Los viajeros acogieron con gran satisfacción la llegada de la locomotora y su reenganche al tren. Iban a poder continuar el viaje tan desafortunadamente interrumpido.

A la llegada de la máquina, Aouda se dirigió al revisor:

–¿Va a partir el tren? –le preguntó.

–Al momento, señora.

–Pero, oiga, ¿y los prisioneros..., nuestros desdichados compañeros?

–No podemos interrumpir el servicio. Llevamos ya tres horas de retraso.

–¿Y cuándo pasará el próximo tren procedente de San Francisco?

–Mañana por la tarde, señora.

–¡Mañana! ¡Demasiado tarde! Deben esperar.

–Es imposible. Si quiere usted partir, debe subir ya al tren.

–No partiré –respondió la joven.

Fix había oído la conversación. Unos momentos antes, cuando carecía de todo medio de locomoción, se hallaba decidido a marcharse de Kearney, y ahora que tenía el tren ahí, dispuesto a tomar la salida, se sentía clavado al suelo por una fuerza irresistible. El andén le quemaba los pies y no podía despegarlos del suelo. La resignación y la rebelión ante el fracaso disputaban un duro combate en su voluntad.

Se había instalado ya a los heridos, entre ellos al coronel Proctor, cuyo estado era grave, en los vagones. Se oía el zumbido de la caldera y el silbido de la salida del vapor por las válvulas. Sonó la campana, silbó la locomotora y el tren se puso en marcha. Pronto desapareció, mezclando su humo blanco a los arremolinados copos de nieve.

El inspector Fix permaneció en la estación.

Transcurrieron varias horas. El tiempo continuaba siendo muy malo, hacía mucho frío. Fix, sentado en un banco, estaba tan inmóvil que parecía dormido. Aouda, a pesar del frío, salía a cada momento de la sala que habían puesto a su disposición para ir hasta la extremidad del andén, en inútiles tentativas por ver y oír algo a través de la tempestad de nieve y de la bruma que reducían el horizonte. Una y otra vez regresaba, transida, a la sala, para volver en seguida a su inútil exploración.

Se hizo de noche sin que hubiera regresado el pequeño destacamento. ¿Dónde podía estar? ¿Habría alcanzado a los indios? ¿Habrían entablado combate con ellos o, perdidos en la bruma, estarían errando al azar? El capitán del fuerte Kearney estaba muy inquieto, por más que tratase de disimular su zozobra.

La nevada decreció en intensidad, pero aumentó el frío. La oscuridad que les rodeaba hubiera hecho temblar a la mirada más intrépida. Un silencio absoluto reinaba sobre la llanura, cuya calma infinita no se veía turbada ni por el vuelo de un pájaro ni por el paso de un animal. Durante toda la noche, Aouda, habitada por una indecible angustia y los más siniestros pensamientos, erró por las afueras de la estación. Su imaginación la transportaba lejos de allí y le mostraba mil peligros, acongojándole el corazón con los más vivos sufrimientos.

Fix, inmóvil en su asiento, tampoco durmió. En un determinado momento se le acercó un hombre y le habló, pero el agente le despidió tras haberle respondido con un gesto de denegación.

Así transcurrió la noche. Al alba, el pálido disco del sol se elevó sobre un horizonte brumoso. Sin embargo, la visibilidad tenía un alcance de unas dos millas. El Sur, por el que habían desaparecido Fogg y el destacamento, continuaba absolutamente desierto a las siete de la mañana.

El capitán, extremadamente inquieto, no sabía qué determinación tomar. ¿Debía enviar un segundo destacamento en busca del primero? ¿Debía sacrificar nuevos hombres en ayuda de los que ya había sacrificado quizá? Su vacilación no duró mucho tiempo. Llamó a uno de sus tenientes y le ordenó efectuar una operación de reconocimiento por el Sur. Pero en ese mismo momento se oyeron varios disparos. ¿Era una señal? Los soldados salieron del fuerte y a media milla del mismo avistaron al destacamento que regresaba en buen orden.

Fogg iba en cabeza y a su lado estaban Passepartout y los otros dos viajeros arrancados a los sioux.

Había habido un combate a diez millas al sur de Kearney. Pocos instantes antes de la llegada del destacamento, Passepartout y sus dos compañeros se hallaban ya en lucha contra sus guardianes. El francés había derribado ya a puñetazos a tres sioux cuando el destacamento llegó en su ayuda. Todos, salvadores y salvados, se saludaron con gritos de alegría. Phileas Fogg distribuyó entre los soldados la prima que les había prometido, mientras Passepartout se decía, no sin razón: «Decididamente, me parece que le estoy saliendo un poco caro.»

El francés había derribado ya a puñetazos a tres sioux

Silencioso, Fix miraba a Fogg, preso de encontrados sentimientos. Aouda estrechó la mano de Fogg entre las suyas, sin poder articular palabra.

A Passepartout le sorprendió no ver el tren en la estación. Esperaba hallarlo allí, dispuesto a partir hacia Omaha, y confiaba en poder recuperar el tiempo perdido.

–¡El tren! ¡El tren! –gritó.

–Se marchó –les dijo Fix.

–¿Cuándo pasará el próximo? –preguntó Phileas Fogg.

–Esta noche.

–¡Hum! –dijo simplemente el impasible *gentleman.*

Capítulo 31

En el que el inspector Fix se toma muy en serio los intereses de Phileas Fogg

Phileas Fogg sufría un retraso de veinte horas, para desesperación de Passepartout, que, como causa involuntaria del mismo, se reprochaba haberle arruinado irremisiblemente.

El inspector se acercó a Fogg y, mirándole de hito en hito, le dijo:

–¿Realmente tiene usted mucha prisa?

–Mucha, sí.

–Perdone que insista. ¿Está realmente interesado en hallarse en Nueva York el día once, antes de las nueve de la noche, hora de salida del paquebote de Liverpool?

–Un interés extraordinario, en efecto.

–Si el viaje no hubiera sido interrumpido por el ataque de los indios, ¿habría llegado usted a Nueva York en la mañana del once?

–Sí, con doce horas de anticipación a la salida del barco.

–Bien. Va usted entonces con un retraso de veinte horas. Entre veinte y doce la diferencia es de ocho horas. Son, pues, ocho horas las que hay que recuperar. ¿Quiere usted intentarlo?

–¿A pie? –preguntó Fogg.

–No, en trineo –respondió Fix–, en trineo de vela. Un hombre me propuso anoche ese medio de transporte.

Era el hombre que se había dirigido a Fix durante la noche y cuya oferta había declinado el inspector.

Phileas Fogg no respondió, pero habiéndole Fix indicado al hombre, que se paseaba en ese momento por la estación, se dirigió a éste. Momentos después, Phileas Fogg y el americano, llamado Mudge, entraban en una cabaña construida en las inmediaciones del fuerte Kearney.

Fogg examinó allí un singular vehículo, una especie de chasis montado sobre dos largos travesaños un poco elevados por delante como las bases de un trineo, de dimensiones suficientes como para transportar a cinco personas. En su parte delantera se erguía un mástil muy elevado, al que se había aparejado una enorme cangreja. El mástil, sólidamente asegurado por unos obenques metálicos, mantenía muy tenso un estay de hierro que servía para envergar un foque de gran tamaño. Atrás, en el codaste, una especie de espadilla permitía orientar la dirección del vehículo.

Era, como se ve, un trineo aparejado en balandra. Durante el invierno, sobre la helada llanura, cuando los trenes se veían inmovilizados por las nieves, esos vehículos, extremadamente rápidos, aseguraban el transporte de una a otra estación. Formidablemente aparejados –mejor incluso que un balandro de carreras, siempre expuesto a zozobrar–, con viento trasero son capaces de deslizarse por la helada superficie de las praderas con una rapidez igual, si no superior, a la de los trenes expresos.

Fogg cerró en pocos instantes el trato con el patrón de esa embarcación terrestre. El viento era favorable. Viento oeste. La nieve estaba dura. Mudge se comprometió a conducir a Fogg en unas horas a la estación de Omaha, de la que partían frecuentemente trenes hacia Chicago y Nueva York. No era imposible recuperar el tiempo perdido. No cabía, pues, vacilación alguna en intentar la aventura.

No queriendo exponer a Aouda al suplicio del frío, que la velocidad haría aún más insoportable, le propuso que permaneciera en la estación de Kearney al cuidado de Passepartout, quien se encargaría de llevarla a Europa por mejor camino y en más aceptables condiciones. Aouda rehusó separarse de Fogg y Passepartout se sintió muy contento de tal determinación, pues por nada en el mundo hubiera querido separarse de él, dejándole en compañía de Fix.

¿Qué pensaba el inspector de policía? ¿Se había tambaleado su convicción ante el regreso de Phileas Fogg o bien le consideraba un delincuente tan lleno de confianza en sí mismo como para creer que, una vez dada la vuelta al mundo, se hallaría en absoluta seguridad en Inglaterra? Quizá la opinión de Fix sobre Phileas Fogg había sufrido una modificación, pero no por ello estaba menos decidido a cumplir con su deber y, más impaciente que ninguno, a apresurar lo más posible el retorno a Inglaterra.

A las ocho el trineo estaba ya dispuesto para la partida. Los viajeros –los pasajeros, podría decirse– se instalaron en el trineo, abrigados en sus mantas de viaje. Las dos inmensas velas estaban izadas. Al impulso del viento, el trineo se deslizó por la nieve helada con una rapidez de cuarenta millas por hora.

La distancia entre el fuerte Kearney y Omaha es en línea recta –a vuelo de abeja, como dicen los americanos– de unas doscientas millas como máximo. Si se mantenía el viento, se podría hacer el viaje en cinco horas. Así, pues, si no se producía ningún incidente, el trineo debería llegar a la estación de Omaha a la una de la tarde.

¡Qué travesía! Los viajeros, apretujados entre sí, no podían hablar. El frío, intensificado por la velocidad, les habría cortado la palabra. El trineo se deslizaba tan ligeramente sobre la superficie de la llanura como una embarcación por la superficie de las aguas, con la ventaja de no tener que sufrir el oleaje. Cuando la brisa llegaba a ras de tierra parecía que

Los viajeros, apretujados entre sí,…

el trineo fuese elevado del suelo por sus velas, alas de gran envergadura. Mudge, al timón, mantenía al trineo en línea recta, rectificando de vez en cuando, mediante un movimiento de la espadilla, los virajes que tendía a dar el vehículo. Se había largado todo el velamen. El foque ya no estaba abrigado por la cangreja y se había levantado un mastelero de gavia que con una vela volante añadieron su capacidad de impulsión a la de las otras velas. Imposible era estimar matemáticamente la velocidad del trineo, pero no debía ser inferior a cuarenta millas por hora.

–Si no se rompe nada, llegaremos a tiempo –dijo Mudge, quien tenía interés en que así fuera porque Fogg, según costumbre, le había prometido una fuerte gratificación.

La pradera que el trineo surcaba en línea recta era lisa como el mar. Parecía un inmenso lago helado. El tren que transitaba por este territorio iba del sudoeste al noroeste por Grand Island, Columbus, importante ciudad de Nebraska, Schuyler, Fremont y Omaha, siguiendo durante todo su recorrido la orilla derecha del río Platte. El trineo seguía un camino más corto, tomando la cuerda del arco descrito por la vía férrea. Mudge no temía verse interceptado por el río Platte en el recodo que forma su corriente antes de Fremont, puesto que sus aguas estaban heladas. El camino se presentaba desembarazado de obstáculos, de tal suerte que Phileas Fogg sólo podía temer la ruptura del trineo o que decayera el viento. Pero la brisa no cedía en intensidad, sino que, muy al contrario, aumentaba hasta el punto de curvar el mástil sólidamente mantenido por los obenques de hierro. Estas jarcias metálicas, semejantes a las cuerdas de un instrumento, resonaban como si un arco les arrancara sus vibraciones, envolviendo la marcha del trineo en una armonía quejumbrosa de una particular intensidad.

–Estas cuerdas dan la quinta y la octava –dijo Fogg.

Éstas fueron las únicas palabras que pronunció durante toda la «travesía».

Aouda se había protegido del frío como mejor pudo, envolviéndose en sus pieles y manta de viaje.

Passepartout, con la cara enrojecida como el disco solar cuando desaparece entre la bruma, aspiraba ese aire taladrante. La imperturbable confianza que en él anidaba le había hecho recuperar la esperanza.

En vez de llegar a Nueva York por la mañana, lo harían por la tarde, pero aún existían probabilidades de que eso ocurriese antes de la salida del paquebote hacia Liverpool. Esa idea le había inspirado incluso el deseo de dar un fuerte apretón de manos a Fix, pues no olvidaba que era él quien había procurado el trineo de velas, el único medio de llegar a Omaha. Pero un extraño presentimiento le hizo mantenerse en la actitud de reserva que había adoptado ante el inspector.

Lo que Passepartout no olvidaría nunca era el sacrificio hecho por Phileas Fogg para salvarle de los sioux. Había puesto en juego su fortuna y su vida, y eso no lo olvidaría él jamás.

Mientras cada uno de los viajeros se entregaba a sus reflexiones, el trineo proseguía su marcha veloz sobre la inmensa alfombra de hielo. Imposible era darse cuenta de si se atravesaban ríos, afluentes o subafluentes del Little-Blue, pues tanto los campos como los ríos desaparecían bajo una blancura uniforme. La llanura que se extendía sobre el ferrocarril del Union Pacific y el ramal de Kearney a Saint-Joseph estaba absolutamente desierta, como una gran isla deshabitada. Ni un pueblo, ni una estación, ni siquiera un fuerte. De vez en cuando veían pasar como un relámpago algún árbol fantasmagórico con su blanco esqueleto retorcido por el viento. Bandadas de aves levantaban el vuelo a su paso. En varias ocasiones, numerosas manadas de lobos de las praderas, famélicos, intentaron rivalizar en velocidad con el trineo. Passepartout, revólver en mano, se mantuvo dispuesto a abrir el fuego contra los más próximos. Si algún accidente hubiera detenido entonces el trineo, los viajeros se habrían visto en

En varias ocasiones, numerosas manadas de lobos de las praderas…

un grave peligro atacados por esos feroces carniceros. Pero la marcha del trineo era tan rápida que no tardaba en dejar atrás a los lobos y sus aullidos.

A mediodía, Mudge reconoció en el terreno el paso del río Platte. No dijo nada, pero ya estaba seguro de hallarse a veinte millas de la estación de Omaha.

Todavía no era la una de la tarde cuando Mudge, abandonando el timón, arrió todo el velamen. Impulsado irresistiblemente por su inercia, el trineo recorrió media milla más a palo seco. Se detuvo al fin, y Mudge les indicó un conglomerado de tejados cubiertos de nieve, diciéndoles:

–Hemos llegado.

Habían llegado, en efecto, a la estación de Omaha, que se halla en diaria y frecuente comunicación con el este de los Estados Unidos.

Passepartout y Fix saltaron al suelo y procedieron a desentumecer sus miembros antes de ayudar a Fogg y a Aouda a descender del trineo. Phileas Fogg pagó generosamente a Mudge, al que Passepartout estrechó la mano como a un amigo, y todos se precipitaron inmediatamente a la estación.

Es en Omaha, Estado de Nebraska, donde se detiene el ferrocarril del Pacífico propiamente dicho, que comunica la cuenca del Mississippi con el gran océano. De Omaha a Chicago, el tren, bajo el nombre de *Chicago-rock-island-road,* corre directamente hacia el Este pasando por cincuenta estaciones.

Estaba a punto de partir un tren directo. Phileas Fogg y sus compañeros tuvieron el tiempo justo para instalarse en un vagón. No habían visto nada de Omaha, pero Passepartout se dijo que no cabía lamentarlo.

El tren pasó con gran rapidez por el Estado de Iowa, por Council-Bluffs, Des Moines a Iowa-City. Por la noche atravesó el Mississippi en Davenport y entró en el Illinois por Rock-Island. Al día siguiente, 10, a las cuatro de la tarde, llegaba a Chicago, ya resurgida de sus ruinas y orgullosamente asentada a orillas del bello lago Michigan.

Novecientas millas separan Chicago de Nueva York. Fogg y sus compañeros pasaron inmediatamente de un tren a otro. La hermosa locomotora del *Pittsburgh-Fort-Wyne-Chicago-rail-road* partió a toda velocidad, como si hubiese comprendido que el honorable *gentleman* no tenía tiempo que perder. Atravesó como un relámpago los Estados de Indiana, Ohio, Pennsylvania y New Jersey, pasando por ciudades con nombres antiguos, algunas de las cuales tenían calles y tranvías, pero no edificios todavía. Al fin, apareció el Hudson, y a las veintitrés horas y quince minutos del 11 de diciembre el tren se detenía en la estación, en la orilla derecha del río, ante el mismo muelle de los vapores de las líneas Cunard, llamada también *British and North American royal mail steam packet Co.*

El *China,* con destino a Liverpool, había zarpado hacía cuarenta y cinco minutos.

Capítulo 32
En el que Phileas Fogg entabla una lucha directa contra la mala suerte

Al zarpar, el *China* parecía haberse llevado consigo las últimas esperanzas de Phileas Fogg.

Ninguno de los otros paquebotes en servicio directo entre América y Europa, ni los transatlánticos franceses, ni los navíos de la *White Star-line,* ni los vapores de la *Compañía Imman,* ni los de la línea Hamburguesa, podían solucionar el problema de Fogg.

El *Pereire,* de la Compañía transatlántica francesa –cuyos admirables barcos igualan en velocidad y superan en comodidades a los de las demás líneas– no zarparían hasta dos días después. Por otra parte, y al igual que los barcos de la Compañía Hamburguesa, no iba directamente a Liverpool o a Londres, sino a Le Havre, y esa travesía suplementaria del Havre a Southampton anularía los esfuerzos de Phileas Fogg por llegar a tiempo a Londres.

En cuanto a los paquebotes Imman, uno de los cuales, el *City of Paris,* zarpaba al día siguiente, tampoco eran útiles. Esos barcos, particularmente afectados al transporte de los emigrantes, tienen unas máquinas muy débiles, navegan tanto a vela como a vapor y su velocidad es muy pequeña. En la travesía de Nueva York a Inglaterra invertían más tiempo del que disponía Fogg para ganar su apuesta.

Phileas Fogg se dio perfectamente cuenta de todo esto al consultar su *Bradshaw,* que le daba, día por día, los movimientos de la navegación transoceánica.

Passepartout estaba anonadado. Haber perdido el barco por cuarenta y cinco minutos era algo que no podía digerir. Y era culpa suya, pues en vez de ayudar al señor Fogg no había hecho más que sembrar de obstáculos su camino. Rememoraba todos los incidentes del viaje, calculaba el dinero gastado inútilmente y por su culpa, y al pensar que la pérdida de la apuesta unida a los considerables gastos del viaje arruinaba completamente a Phileas Fogg, el muchacho, desesperado, se injuriaba a sí mismo.

Fogg no le hizo ningún reproche. Al abandonar el muelle de los transatlánticos se limitó a decir:

–Veremos mañana lo que se puede hacer. Vamos.

Fogg, Aouda, Fix y Passepartout atravesaron el Hudson en el *Jersey-city ferry-boat,* y tomaron luego un coche de punto que los condujo al Hotel Saint-Nicholas, en Broadway. La noche fue corta para Phileas Fogg, que durmió perfectamente, pero muy larga para Aouda y sus compañeros, a quienes la agitación impidió descansar.

El día siguiente era el 12 de diciembre. Desde las siete de la mañana del día 12 a las veinte y cuarenta y cinco del día 21 había nueve días, trece horas y cuarenta y cinco minutos. Si Phileas Fogg hubiera partido la víspera a bordo del *China,* uno de los mejores barcos de la Cunard, su llegada a Liverpool primero y a Londres después se habría producido en los plazos previstos.

Fogg salió solo del hotel, tras haber recomendado a Passepartout y a Aouda que le esperaran, preparados para cualquier eventualidad.

Phileas Fogg se dirigió al Hudson, y una vez allí, entre los barcos amarrados al muelle y los fondeados en el río, buscó los que estuvieran dispuestos a zarpar. Varios barcos ostentaban la bandera de partida, dispuestos a zarpar con la marea de la mañana. En el inmenso y admirable puerto de Nueva York no hay día que no registre la partida de cien barcos hacia todos los puntos del mundo. Pero la mayor parte de los que se disponían a tomar la salida eran barcos de vela que no podían convenir a Phileas Fogg. A punto ya de abandonar toda esperanza, vio fondeado, a un cable o poco más de distancia, un barco mercante, de hélice, de finas líneas, cuya chimenea vomitando humo indicaba que se disponía a zarpar.

Phileas Fogg alquiló un bote y en unos cuantos golpes de remo se halló ante el *Henrietta,* vapor de casco de hierro con todas las demás estructuras de madera.

El capitán del *Henrietta* estaba a bordo. Phileas Fogg subió al puente y preguntó por el capitán. Éste se presentó en seguida.

Era un hombre de unos cincuenta años, el típico lobo de mar, con un aspecto hirsuto de hombre gruñón y de difícil carácter. Ojos grandes, tez color de cobre oxidado, cabellos rojos, fuerte contextura. Lo más alejado del aspecto de un hombre de mundo.

–¿El capitán?

–Soy yo.

–Yo soy Phileas Fogg, de Londres.

–Y yo, Andrew Speedy, de Cardiff.

–¿Va usted a partir?

–Dentro de una hora.

–¿Adónde?

–A Burdeos.

–¿Qué clase de carga lleva?

–Piedras en el vientre, como lastre. Voy sin flete.

–¿Lleva usted pasajeros?

–No. Jamás llevo pasajeros. Es una mercancía molesta y locuaz.

–¿Marcha bien su barco?

–Entre once y doce nudos. El *Henrietta* es conocido.

–¿Quiere usted llevarnos a Liverpool? Somos cuatro personas.

–¿A Liverpool? ¿Por qué no a China?

–He dicho Liverpool.

–No.

–¿No?

–No. Mi ruta es Burdeos. Voy a Burdeos.

–¿A ningún precio?

–A ningún precio.

El capitán lo había dicho en un tono que no admitía réplica.

–Pero, los armadores del *Henrietta*... –comenzó a decir Fogg.

–Yo soy el armador. El barco es mío.

–Se lo fleto yo.

–No.

–Se lo compro.

–No.

Phileas Fogg no hizo ni un gesto.

La situación era grave. Nueva York no era Hong-Kong ni el capitán del *Henrietta* el patrón de la *Tankadere*. Hasta entonces el dinero del *gentleman* había vencido todos los obstáculos. Esta vez, el dinero fracasaba.

Había que encontrar el medio de atravesar el Atlántico en barco, a menos de hacerlo en globo, lo que además de aventurado era prácticamente irrealizable.

Phileas Fogg debió concebir una idea singular, pues dijo al capitán:

–¿Quiere usted llevarnos a Burdeos?

–No, aunque me pagara usted doscientos dólares.

–Le ofrezco dos mil.

–¿Por persona?

–Por persona.

–¿Y dice que son ustedes cuatro?

–Cuatro.

El capitán Speedy se rascó la cabeza como si quisiera arrancarse la epidermis. Ganar ocho mil dólares sin modificar su viaje valía la pena de poner entre paréntesis su antipatía por toda especie de pasajeros. Además, unos pasajeros de dos mil dólares ya no son pasajeros, son una mercancía preciosa.

–Salgo a las nueve –dijo sencillamente el capitán Speedy–, y si usted y los suyos están aquí a esa hora...

–Estaremos a bordo a las nueve –dijo no menos sencillamente Fogg.

Eran las ocho y media. Desembarcar, tomar un coche de punto, ir al hotel y recoger a Passepartout, Aouda y al inseparable Fix, a quien ofreció gratuitamente el pasaje, fue llevado a cabo por el *gentleman* con esa calma que no le abandonaba en ninguna circunstancia.

El *Henrietta* zarpó con los cuatro pasajeros a bordo.

Cuando Passepartout se enteró de lo que costaría esa última travesía exhaló una de esas prolongadas exclamaciones que recorren todos los intervalos de la gama cromática descendente.

Por su parte, el inspector Fix se dijo que, decididamente, el Banco de Inglaterra no saldría indemne del caso. Pues, admitiendo que el señor Fogg no tirase unos cuantos puñados más de billetes al mar, a su llegada le faltarían más de siete mil libras en su bolso de billetes.

Capítulo 33
En el que Phileas Fogg se muestra a la altura de las circunstancias

Una hora después, el vapor *Henrietta* pasaba por delante del *Light-boat* que señala la entrada del Hudson, doblaba la punta de Sandy-Hook y salía al mar libre. Durante la jornada costeó Long-Island, a la vista del faro de Fire-Island, y avanzó rápidamente hacia el este.

Al día siguiente, 13 de diciembre, a mediodía, un hombre subió al puente para establecer las coordenadas. Contrariamente a lo que pueda creerse, ese hombre no era el capitán Speedy. Era Phileas Fogg.

Pues el capitán Speedy se hallaba encerrado bajo llave en su camarote, lanzando aullidos que denunciaban una cólera, bien comprensible, llevada al paroxismo.

Lo ocurrido era muy sencillo. Phileas Fogg quería ir a Liverpool. El capitán no quería llevarle allí. Phileas Fogg había aceptado ir a Burdeos, y durante las treinta horas que llevaba a bordo había maniobrado tan hábilmente a golpe de billetes que la tripulación –marineros y fogoneros, todos sin excesivos escrúpulos y en malas relaciones con el capitán– le pertenecía. He aquí por qué Phileas Fogg había tomado el mando, por qué el capitán Speedy estaba encerrado en su camarote y por qué el *Henrietta* navegaba rumbo a Liverpool.

Era evidente que Phileas Fogg había sido marino.

Aunque no dijera nada, Aouda se hallaba muy inquieta por el desenlace de una aventura que había dejado pasmado a Fix y maravillado a Passepartout.

El *Henrietta* mantenía el promedio de velocidad de once a doce nudos que había garantizado el capitán Speedy.

Podía esperarse, pues, que si –¡cuántos «si» aún!– el mar no se encrespaba excesivamente, si el viento no saltaba al este, si no se producía ninguna avería en el barco o en sus máquinas, el *Henrietta* podría recorrer las tres mil millas que separan a Nueva York de Liverpool en los nueve días de que disponía Fogg. Cierto es que una vez llegado, el caso del barco, unido al del Banco, podía tener las más graves consecuencias para Phileas Fogg.

Durante los primeros días, la navegación transcurrió en excelentes condiciones. El mar no estaba demasiado agitado; y el viento venía constantemente del nordeste. Izadas sus velas, el *Henrietta* navegaba como un verdadero transatlántico.

Passepartout estaba encantado. La última hazaña de Phileas Fogg, cuyas consecuencias no quería ver, le entusiasmó. Nunca había visto la tripulación un hombre más alegre ni más ágil. Multiplicaba sus gestos de amistad a los marineros, a los que asombraba con sus habilidades circenses. Les prodigaba los más afectuosos calificativos y las más deliciosas bebidas. A sus ojos, los marineros maniobraban como artistas y los fogoneros trabajaban como héroes. Contagiaba a todos su buen humor. Passepartout había olvidado los peligros, las dificultades y zozobras recientes, y no pensaba más que en ese objetivo a punto de conseguirse. Hervía de impaciencia, como si estuviera sometido a la presión de las calderas del *Henrietta*. A menudo echaba una mirada significativa a Fix, con quien no hablaba, pues ya no existía ninguna intimidad entre los dos antiguos amigos.

Fix no comprendía ya nada. La conquista del *Henrietta*, el soborno de su tripulación, la revelación de Fogg como un consumado marino, todo ese conjunto de cosas le aturdía y le dejaba sin saber qué pensar. Pero, después de todo, un hombre que había empezado robando cincuenta y cinco mil libras bien podía acabar robando un barco. Fix acabó por creer que el *Henrietta,* gobernado por Fogg, no se dirigía a Liverpool, sino a algún otro punto del mundo en el que el ladrón, convertido en pirata, pudiera sentirse en seguridad. Hipótesis ésta muy plausible, que hizo lamentar muy amargamente al inspector haberse embarcado en esa historia.

El capitán Speedy continuaba aullando en su camarote, y Passepartout, encargado de proveer a su subsistencia, lo hacía con las mayores precauciones, por muy vigoroso que fuera.

Fogg parecía ignorar por completo que existiese un capitán a bordo.

El día 13 doblaron la punta del banco de Terranova. Malos parajes éstos, en invierno sobre todo, durante el cual son frecuentes las brumas y temibles los vendavales. Desde la víspera, el barómetro había bajado bruscamente, anunciando un próximo cambio en la atmósfera. En efecto, durante la noche, se modificó la temperatura, se hizo más vivo el frío y el viento saltó al sudeste.

Era un serio contratiempo. A fin de no desviarse de su rumbo, Fogg debió recoger las velas y forzar las máquinas. Pese a ello, la marcha del navío se vio frenada por las fuertes olas que se rompían contra su tajamar. La marejada provocó en el barco un violento movimiento de cabeceo que contribuyó a disminuir la velocidad. El viento se fue huracanando. Se temió que el *Henrietta* no pudiera mantener el rumbo. Y huir la tempestad era exponerse a los riesgos de lo desconocido con todas sus consecuencias.

El semblante de Passepartout se oscureció con el cielo. Durante dos días, el muchacho conoció una angustia mortal. Pero Phileas Fogg era un audaz marino que sabía hacer frente al mar, y mantuvo el rumbo sin tan siquiera bajar la presión. Cuando no podía pasar por encima de las olas, el barco las atravesaba, con su puente totalmente inundado, sí, pero pasaba. A veces también emergía la hélice golpeando el aire con sus aspas enloquecidas, cuando una montaña de agua levantaba la popa, pero el navío seguía adelante.

El viento no arreció tanto, sin embargo, como cabía temer. No fue uno de esos huracanes que pasan a una velocidad de noventa millas por hora. Se mantuvo fuerte pero, desafortunadamente, sopló con obstinación del sudeste lo que impidió desplegar las velas. Y por lo que se verá hubiese sido muy útil ayudar a la fuerza de propulsión del vapor.

El 16 de diciembre se cumplieron setenta y cinco días desde la partida de Londres. En suma, el *Henrietta* no tenía un retraso inquietante. Se había efectuado ya casi la mitad de la travesía y dejado atrás los peores parajes. En verano, se hubiera podido estar seguro del éxito. En invierno, se estaba a merced de los caprichos de la estación. Passepartout no las tenía todas consigo. En el fondo, se sentía esperanzado, contando con que si fallaba el viento podía confiarse en el vapor.

Pero aquel día el jefe de máquinas subió al encuentro de Fogg, con quien mantuvo una viva conversación.

Sin saber por qué, como habitado de un presentimiento, Passepartout concibió una viva inquietud. Hubiera dado una de sus orejas por oír lo que estaban diciendo. Pudo, sin embargo, oír algunas palabras, entre ellas éstas pronunciadas por Phileas Fogg:

–¿Está usted seguro de lo que dice?

–Seguro, señor. No olvide que desde nuestra partida hemos navegado a todo vapor, y que si teníamos suficiente carbón para ir a pequeña presión de Nueva York a Burdeos, no tenemos bastante para ir a toda máquina de Nueva York a Liverpool.

–Ya veré lo que se puede hacer –respondió Fogg.

Passepartout había comprendido y se sintió embargado de una terrible inquietud.

¡Iba a agotarse el carbón!

«¡Ah! ¡Si es capaz de resolver este problema –se dijo Passepartout– es un hombre formidable!»

Passepartout se topó en ese momento con Fix y no pudo impedirse ponerle al corriente de la situación.

–Así que –masculló el inspector– usted cree que vamos a Liverpool, ¿no?

–¡Naturalmente!

–¡Imbécil! –le espetó el inspector, que se alejó alzándose de hombros.

Passepartout se sintió tentado de hacerle tragarse el insulto, cuya verdadera significación no alcanzaba a comprender, pero se dijo que Fix debía hallarse muy desconcertado y muy humillado en su amor propio, tras haber seguido una falsa pista alrededor del mundo, y le excusó.

En esa situación ¿qué iba a hacer Phileas Fogg? Difícil era preverlo. Pero el flemático caballero no tardó en tomar una resolución, pues esa misma tarde llamó al jefe de máquinas y le dijo:

–Alimente las calderas al máximo y fuerce las máquinas hasta el completo agotamiento del combustible.

Unos momentos después, la chimenea del *Henrietta* vomitaba torrentes de humo.

El barco continuó así su rumbo a todo vapor. Pero tal y como lo había anunciado, dos días después, el 18, el jefe de máquinas hizo saber a Fogg que el carbón se agotaría en ese mismo día.

–No disminuya la alimentación –respondió Fogg–. Al contrario. Carguen las válvulas.

Aquel día, tras haber tomado la altura y calculado la posición del barco, Fogg llamó a Passepartout y le ordenó que fuera a buscar al capitán Speedy. Era como ordenarle que fuera a desencadenar a un tigre. Passepartout descendió por la escotilla, diciéndose:

–Seguro que está rabioso.

Unos minutos más tarde, entre gritos e imprecaciones caía una bomba en cubierta. La bomba era el capitán Speedy y estaba a punto de estallar.

–¿Dónde estamos? –fueron sus primeras palabras inteligibles entre los rugidos de una cólera tan violenta que, de haber sido propenso a la apoplejía le hubiera fulminado allí mismo.

–¿Dónde estamos? –repitió, todo congestionado.

–A setecientas setenta millas o trescientas leguas de Liverpool –le respondió Fogg, con una calma imperturbable.

–¡Pirata! –le espetó Andrew Speedy.

–Le he hecho venir, señor, para...

–¡Filibustero!

–... para rogarle que me venda su barco.

–¡No! ¡Por mil diablos! ¡Jamás!

–Es que voy a verme obligado a quemarlo.

–¡Quemar mi barco!

–Sí, al menos su arboladura, pues carecemos de combustible.

–¡Quemar mi barco! –exclamó de nuevo el capitán Speedy, incapaz de pronunciar las sílabas, en su furor– ¡Un barco que vale cincuenta mil dólares!

–Aquí tiene usted sesenta mil –respondió Phileas Fogg ofreciéndole un fajo de billetes.

El gesto causó un efecto prodigioso en Andrew Speedy. No se es americano si no se siente una fuerte emoción a la vista de sesenta mil dólares. El capitán olvidó al instante su cólera, su encarcelamiento, y todos sus cargos contra su pasajero. Su barco tenía veinte años. ¡Hacía un negocio de oro! La bomba no podía ya estallar. Fogg le había arrancado la mecha.

–El casco de hierro ¿será para mí? –dijo el capitán en un tono meloso de voz, insospechable en él.

–El casco de hierro y la máquina, señor. ¿De acuerdo?

–De acuerdo.

–¡Pirata! –le espetó Andrew Speedy

Y Andrew Speedy tomó el fajo de billetes, los contó y se los metió en el bolsillo.

Passepartout se había quedado blanco, y Fix, rojo, por una congestión sanguínea. Casi veinte mil libras gastadas ya, y todavía Fogg regalaba a su vendedor el casco y la máquina, es decir, casi el valor total del barco. ¡Claro es que la cuantía del robo ascendía a cincuenta y cinco mil libras!

–No se asombre, señor –dijo Fogg a Andrew Speedy–. Sepa usted que pierdo veinte mil libras si no estoy en Londres el 21 de diciembre, a las veinte horas cuarenta y cinco minutos. Perdí el paquebote de Nueva York, y como rehusaba usted llevarme a Liverpool...

–Bien hice, ¡por todos los demonios! –exclamó Andrew Speedy–, puesto que así me gano por lo menos cuarenta mil dólares.

Después, en un tono más tranquilo de voz, dijo:

–¿Sabe usted una cosa, capitán...?

–Fogg.

–Capitán Fogg, pues bien, que hay mucho de *yankee* en usted.

Y tras haber dirigido a su pasajero lo que él creía un cumplido, iba a marcharse cuando Phileas Fogg le preguntó:

–Entonces ¿el barco me pertenece ya?

–Desde la quilla hasta la punta de los mástiles, en todo lo que sea de madera, se entiende.

–Bien, entonces que se arranquen todas las piezas de madera interiores y a las calderas con ellas.

Para mantener el vapor a una presión suficiente hacía falta una enorme cantidad de madera. Aquel día pasaron a las calderas la duneta, la carroza, las cabinas, los camarotes y el entrepuente.

Al día siguiente, 19 de diciembre, se arrojaron al fuego los mástiles y sus recambios, tras seccionarlos a hachazos, y todas las vigas y perchas.

La tripulación trabajaba con un celo increíble

La tripulación trabajaba con un celo increíble. Passepartout hacía por sí solo el trabajo de diez hombres derribando, cortando y aserrando, con una extraordinaria furia destructora.

El día 20, el fuego devoró los antepechos, los bordajes, la obra muerta y la mayor parte del puente. El *Henrietta* era ya un barco arrasado como un pontón.

Pero ese día avistaron la costa de Irlanda y el faro de Fastenet.

Sin embargo, a las diez de la noche el barco se hallaba todavía a lo largo de Queenstown. Phileas Fogg no disponía ya más que de veinticuatro horas para llegar a Londres. Y era justamente ese el tiempo que necesitaría el *Henrietta* para llegar a Liverpool, y eso navegando a todo vapor. Y el combustible estaba ya agotado.

–Señor –le dijo entonces el capitán Speedy, que había acabado por tomar un gran interés en la partida que estaba librando Phileas Fogg–, le compadezco. Todo se pone en contra suya. Estamos todavía a la altura de Queenstown tan sólo.

–¡Ah! –exclamó Fogg– esas luces que vemos ¿son de Queenstown?

–Sí.

–¿Podemos entrar en el puerto?

–No antes de tres horas. Habría que esperar a la pleamar.

–Esperemos, entonces –respondió plácidamente Phileas Fogg, sin que nada en su semblante revelara la suprema inspiración que había tenido en ese momento y con la que iba a intentar una vez más enfrentarse a su adversa suerte.

Queenstown es un puerto de la costa de Irlanda en el que los transatlánticos procedentes de los Estados Unidos dejan al pasar sus sacas de correos. Éstas son transportadas a Dublín por trenes expresos en servicios muy frecuentes, y de Dublín se envían a Liverpool a bordo de vapores de gran velocidad que consiguen ganar doce horas a los más rápidos navíos de las compañías marítimas.

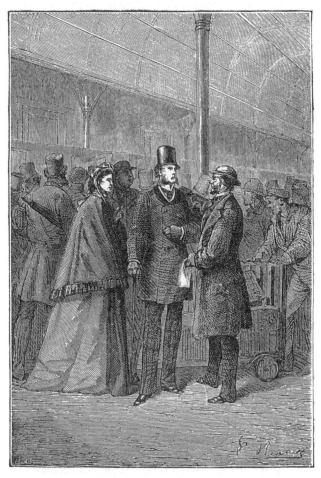

—En nombre de la Reina, queda usted detenido

Phileas Fogg pretendía hacer suya también esa ganancia de doce horas de que se beneficiaba el correo de América. En vez de llegar a Liverpool al día siguiente por la noche a bordo del *Henrietta,* podría estar a mediodía, con el tiempo suficiente ante sí para hallarse en Londres antes de las veinte horas cuarenta y cinco minutos.

Hacia la una de la noche, el *Henrietta* entraba con la marea alta en el puerto de Queestown. Tras recibir un vigoroso apretón de manos del capitán Speedy, Phileas Fogg le dejó sobre el arrasado casco de su barco, que valía aún la mitad del precio a que lo había vendido.

Los pasajeros desembarcaron inmediatamente. En ese momento, Fix sintió un deseo feroz de detener a Fogg. No lo hizo, sin embargo. ¿Por qué? ¿Qué lucha interior se libraba en él? ¿Había cambiado de opinión sobre Phileas Fogg? ¿Temía haberse equivocado? Fuera como fuese, Fix no abandonó a Fogg, sino que subió con él y con sus compañeros al tren de Queestown a la una y media de la mañana. Llegados a Dublín con el alba, se embarcaron inmediatamente en uno de esos vapores-correos –verdaderos husos de acero, todo máquina– que pasan a través de las olas sin elevarse con ellas.

A las doce menos veinte de la mañana del 21 de diciembre, Phileas Fogg ponía, por fin, pie en el muelle de Liverpool, ya a seis horas tan sólo de Londres.

En ese mismo momento, se le acercó Fix, quien le puso la mano en el hombro, y mostrándole su orden, le dijo:

–¿Es usted el señor Phileas Fogg?

–¿Cómo?

–En nombre de la Reina, queda usted detenido.

Capítulo 34
Que procura a Passepartout la ocasión de hacer un pésimo, pero quizás inédito juego de palabras

Phileas Fogg estaba en la cárcel. Le habían encerrado en una celda de la Custom-house, el edificio de las Aduanas, de Liverpool, y debía pasar allí la noche a la espera de su traslado a Londres.

En el momento de su detención, Passepartout se había visto impedido de abalanzarse sobre el detective por dos policías. Aouda, espantada ante la brutalidad del hecho, no podía comprenderlo. Passepartout le explicó la situación. El señor Fogg, ese valeroso y honesto caballero al que ella debía la vida, había sido detenido bajo la acusación de ser un ladrón. La joven protestó indignada contra la monstruosa alegación, y lloró desconsoladamente al ver que no podía hacer ni intentar nada por salvar a su salvador.

En cuanto a Fix, si había detenido al caballero era porque su deber le obligaba a hacerlo, fuese o no culpable, que eso debería decidirlo la justicia.

Aterrado, Passepartout se dio cuenta de que en él se hallaba la causa de tan espantosa desgracia. ¿Por qué se lo había ocultado al señor Fogg? ¿Por qué no le había advertido de la identidad de Fix como inspector de policía y de la misión de que estaba encargado? Advertido, Phileas Fogg hubiera podido quizás dar a Fix pruebas de su inocencia y haberle demostrado que se hallaba en un error. O, al menos, no hubiera llegado consigo y a sus expensas a ese funesto inspector cuya primera acción había sido detenerle en el mismo momento en que ponía los pies en el suelo del Reino Unido. Al pensar en sus culpas e imprudencias, el pobre muchacho se sentía acometido por los más irresistibles remordimientos, y lloraba y quería romperse la cabeza contra un muro. Daba pena verlo.

Aouda y él habían permanecido, pese al intenso frío, ante el pórtico de la Aduana. Ni uno ni otro abandonarían ese sitio sin ver a Phileas Fogg.

Fogg se había visto definitivamente arruinado en el momento justo en que se hallaba al borde de la consecución de su objetivo. Llegado a las doce menos veinte a Liverpool en ese día límite del 21 de diciembre, disponía de nueve horas y cuarto para presentarse en el Reform-Club, con lo que la victoria estaba ya asegurada puesto que le bastaban tan sólo seis horas para llegar a Londres.

Quien en esos momentos hubiese entrado en el puesto aduanero habría hallado a Phileas Fogg inmóvil, sentado en un banco de madera, imperturbable, frío. ¿Resignado? Difícil es asegurarlo, pero el último golpe recibido no le había emocionado, al menos aparentemente. Tal vez estuviera incubando una de esas rabias secretas, terribles porque contenidas. En todo caso, estaba allí, tranquilo, esperando. Esperando ¿qué? ¿Abrigaba aún alguna esperanza? ¿Podría todavía creer en el éxito, encerrado como estaba? Fuera como fuese, Fogg estaba mirando la marcha de las agujas del reloj que había puesto sobre la mesa. Sus labios no musitaban palabra alguna, pero su mirada tenía una fijeza singular.

En todo caso, la situación era terrible, y, para quien no pudiera leer en su conciencia, se resumía así:

Si era un hombre honrado, estaba arruinado.

Si era culpable, estaba detenido.

¿Pensaba en la huida? ¿Se le ocurrió indagar la existencia

en su calabozo de una salida practicable? Así podría creerse, pues en un momento dado recorrió y examinó la celda. Pero la puerta estaba sólidamente cerrada y la ventana protegida por barrotes de hierro. Fogg volvió a sentarse y de su cartera sacó el itinerario del viaje. A la línea que decía: «sábado, 21 de diciembre, Liverpool», añadió esta otra: «Día 80, 11,40 h. de la mañana», y esperó.

Dio la una en el reloj de la Casa de la Aduana, y Fogg comprobó que su reloj iba dos minutos adelantado.

Las dos de la tarde. Suponiendo que en ese mismo momento pudiese tomar un tren, le sería posible todavía llegar a Londres y al Reform-Club antes de las ocho horas cuarenta y cinco minutos de la tarde. Su frente se arrugó ligeramente.

A las dos horas y treinta y tres minutos sonó un ruido en el exterior, seguido de un abrir y cerrar de puertas. Se oían las voces de Passepartout y de Fix.

La mirada de Phileas Fogg brilló un instante.

Se abrió la puerta del calabozo y vio a Aouda, a Passepartout y a Fix precipitarse hacia él.

Fix estaba sin aliento y despeinado. ¡No podía hablar!

–Señor... Señor... –balbuceó–. Perdóneme... Un lamentable parecido... ¡Ladrón detenido desde hace tres días...! ¡Usted, libre!...

Phileas Fogg estaba en libertad. Se dirigió al detective, le miró a los ojos, y, haciendo el único movimiento rápido de su vida por vez primera y última, echó sus brazos hacia atrás y luego, con la precisión de un autómata, golpeó con sus dos puños al desgraciado inspector.

–¡Bien dado! –exclamó Passepartout, quien permitiéndose un pésimo juego de palabras digno de un francés, añadió–: ¡Pardiez!, ha sido lo que podría llamarse una bella aplicación de puños de Inglaterra [1].

---

1. Juego de palabras intraducible. En francés *poing* 'puño' y *point* 'punto' se pronuncian igual. El retruécano es hoy de difícil comprensión in-

Tendido en el suelo, Fix no pronunció una sola palabra. Era lo menos que se merecía.

Fogg, Aouda y Passepartout salieron de la Aduana, se precipitaron a un coche de punto y en algunos minutos llegaron a la estación de Liverpool, donde Phileas Fogg preguntó inmediatamente si había algún tren expreso dispuesto a tomar la salida. Eran las dos y cuarenta minutos, y hacía treinta y cinco minutos que había salido el último tren.

Phileas Fogg encargó entonces un tren especial.

Aunque había varias locomotoras de gran velocidad en estado de tomar la salida, las exigencias del servicio hacían imposible que el tren especial pudiese partir antes de las tres.

A dicha hora, tras haber ofrecido al maquinista una buena prima, Phileas Fogg, en compañía de la joven y de su fiel sirviente, partía de Liverpool hacia Londres. Había que recorrer esa distancia en cinco horas y media, lo que era muy factible en vía libre. Pero hubo retrasos forzosos, y cuando Fogg llegó a la estación, todos los relojes de Londres marcaban las nueve menos diez.

Tras haber dado la vuelta al mundo, Phileas Fogg llegaba a su punto de partida con cinco minutos de retraso.

Había perdido su apuesta.

cluso para un francés. *Point d'Anglaterre* o *Application d'Anglaterre* era la denominación que se daba al arte de aplicar flores de encaje sobre tul. Era una denominación impropia, además, puesto que esa «aplicación de Inglaterra» era, en realidad, una imitación del encaje belga llamado «aplicación de Mirecourt». *(N. del T.)*

Capítulo 35
En el que Passepartout no se hace repetir dos veces una orden de Phileas Fogg

Al día siguiente se habría sorprendido mucho a los habitantes de Saville-row si se les hubiera anunciado que el señor Fogg había vuelto a su casa. Pues ningún cambio se había producido en el exterior de la misma. Puertas y ventanas continuaban cerradas.

Después de salir de la estación, Fogg había dado a Passepartout la orden de comprar algunas vituallas mientras él regresaba a su casa.

Phileas Fogg había recibido con su habitual impasibilidad el golpe que le había asestado la suerte. Estaba arruinado, y por culpa de un torpe inspector de policía. Después de haber recorrido con paso seguro tan largo viaje, tras haber superado mil obstáculos y desafiado mil peligros, habiendo hallado incluso tiempo para hacer algún bien por el camino, fracasar en la misma meta por el hecho tan brutal como imprevisible y ante el que se hallaba desarmado, era terrible. De la considerable suma que había llevado consigo no le quedaba más que una cantidad insignificante. Su fortuna se limitaba ya a las veinte mil libras depositadas en la banca de los hermanos Baring, y esa suma pertenecía ya a sus contertulios del Reform-Club. Habida cuenta de los gastos efectuados, la ganancia de la apuesta no le hubiera enriquecido –y no era esa su finalidad, siendo como era un hombre que apostaba por el pundonor–, pero la pérdida de la misma le arruinaba totalmente. El *gentleman* había tomado ya una resolución y sabía lo que le quedaba por hacer.

En la habitación que se le había asignado, Aouda estaba desesperada. De algunas palabras pronunciadas por Fogg había inferido que éste meditaba un proyecto funesto.

Conocidos son, en efecto, los lamentables extremos a que se dejan llevar a veces esos ingleses monomaníacos bajo el imperio de una idea fija.

Passepartout vigilaba disimuladamente a Phileas Fogg. Pero antes, el buen muchacho había subido a su habitación y apagado el mechero de gas que llevaba ardiendo desde hacía ochenta días. En el buzón había encontrado una considerable factura de la Compañía del Gas y pensó que era tiempo ya de poner fin a esos gastos de los que era responsable.

Pasó la noche, Fogg se acostó ¿pero pudo dormir? Aouda no consiguió un solo instante de reposo. Passepartout se había pasado la noche en vela como un perro a la puerta de su amo.

Por la mañana, Fogg llamó a Passepartout y le ordenó muy lacónicamente que se ocupara del desayuno de Aouda. En cuanto a él, se limitaría a tomar una taza de té y una tostada. Aouda debería excusarle por no acompañarle en el desayuno y en el almuerzo, pues debía consagrar todo su tiempo a poner en orden sus asuntos. Tan sólo por la tarde solicitaría de Aouda que le recibiera por unos instantes.

Habiéndole sido comunicado el programa, Passepartout no tenía más que conformarse a él. Pero no podía decidirse a abandonar el cuarto del señor Fogg, al que miraba con fijeza. Su corazón estaba lleno de pesadumbre y su conciencia de remordimientos, pues más que nunca se acusaba a sí mismo del irreparable desastre. Sí, si hubiera advertido al señor Fogg, si le hubiera revelado los proyectos de Fix, Fogg no ha-

Había encontrado una considerable factura de la Compañía del Gas

bría llevado tras de sí al inspector hasta Liverpool, y entonces... Passepartout no pudo contenerse.

–¡Señor! Señor Fogg, ¡maldígame! Ha sido por mi culpa
por lo que...

–Yo no acuso a nadie –respondió Phileas Fogg, en su habitual tono de calma–. Déjeme solo.

Passepartout salió de la habitación y se dirigió a la de
Aouda, a quien comunicó las intenciones del señor Fogg.

–Señora, yo no puedo hacer nada, nada. No tengo ninguna influencia sobre él. Quizá usted...

–¿Qué influencia puedo tener sobre él? El señor Fogg no
admite la influencia de nadie. ¿Ha comprendido alguna vez
la magnitud de mi reconocimiento? ¿Ha leído alguna vez en
mi corazón? Amigo mío, es necesario no abandonarle ni un
momento. ¿Dice usted que ha manifestado la intención de
hablar conmigo esta tarde?

–Sí, señora. Se trata sin duda de asegurar su situación en
Inglaterra.

–Esperemos, entonces –respondió la joven, que se quedó
pensativa.

Así, durante esa jornada dominical, la casa de Saville-row
continuó pareciendo deshabitada, y, por vez primera desde
que en ella residía, Phileas Fogg no acudió a su club al dar las
once y media en el reloj de la torre del Parlamento.

¿Para qué ir al Reform-Club? Sus contertulios no le esperaban. Puesto que Phileas Fogg no había hecho su aparición en
el salón del Reform-Club en la víspera, en esa fecha fatal del
sábado 21 de diciembre, a las veinte cuarenta y cinco, la
apuesta estaba perdida. Ni tan siquiera era necesario que fuera a la banca Baring para retirar la suma de veinte mil libras.
Sus adversarios tenían en su poder el cheque por él firmado y
bastaría que pasara una simple nota a los hermanos Baring
para que éstos transfirieran a aquéllos las veinte mil libras.

Fogg no tenía, pues, razones para salir, y no salió. Permaneció en su cuarto poniendo en orden sus asuntos.

Passepartout no cesaba de bajar y subir la escalera de la casa. Las horas no pasaban para el pobre muchacho. Se apostaba a la escucha ante la puerta de Fogg y de vez en cuando miraba por el ojo de la cerradura, sin sentirse indiscreto por ello. Passepartout temía a cada instante que se produjera una catástrofe. Pensaba a veces en Fix, pero lo hacía ya de otro modo que antes. No le guardaba ya rencor. Fix se había equivocado como todo el mundo respecto a Phileas Fogg, y, al fin y al cabo, al perseguirle y al detenerle no había hecho más que cumplir con su deber, mientras que él... Abrumado por los remordimientos, se tenía por el último de los miserables.

Cuando no podía ya resistir la soledad, Passepartout llamaba a la puerta de Aouda, entraba en su habitación, se sentaba en un rincón sin pronunciar una palabra y miraba a la joven, que continuaba en actitud pensativa.

Hacia las siete y media de la tarde, Fogg solicitó ser recibido por Aouda. Unos instantes después, la joven y él se hallaban solos en la habitación de ella.

Phileas Fogg tomó una silla y se sentó cerca de la chimenea, frente a Aouda. Su rostro no reflejaba emoción alguna. El Fogg de la llegada era exactamente el mismo que el Fogg de la partida. La misma calma, la misma impasibilidad.

Permaneció en silencio durante unos cinco minutos, hasta que levantó los ojos sobre Aouda y dijo:

—Señora ¿podrá usted perdonarme que le haya traído a Inglaterra?

—¿Que yo...? ¡Señor Fogg! —dijo Aouda, que no podía reprimir los acelerados latidos de su corazón.

—Le ruego que me permita acabar —prosiguió Fogg—. Cuando se me ocurrió sacarle de su país por los peligros que para usted tenía permanecer en él, yo era rico, y había decidido poner una parte de mi fortuna a su disposición. Su vida aquí hubiera sido libre y feliz. Ahora, estoy arruinado.

–Lo sé, señor Fogg, y a mi vez le preguntaré si puede usted perdonarme que le haya seguido y contribuido a su ruina al haberle retrasado en su viaje.

–Señora, usted no podía permanecer en la India. Su salvación dependía de la distancia que interpusiera entre usted y esos fanáticos.

–Así pues, señor Fogg, no contento con arrancarme a una muerte horrible, se creía usted obligado a asegurarme una posición en el extranjero.

–Sí, señora, pero los acontecimientos se me han tornado adversos. Sin embargo, quiero pedirle permiso para disponer en favor de usted de lo poco que me queda.

–Pero, señor Fogg, ¿y usted? ¿Qué piensa hacer?

–Yo, señora –respondió fríamente el *gentleman*–, no tengo necesidad de nada.

–Pero ¿podría decirme cómo considera usted la suerte que le espera?

–Como conviene hacerlo –respondió Fogg.

–En todo caso, la miseria no puede alcanzar a un hombre como usted. Supongo que sus amigos...

–Yo no tengo amigos, señora.

–Entonces, sus parientes...

–No tengo ya ningún pariente.

–Le compadezco entonces, señor Fogg, porque la soledad es muy triste. ¿No tiene usted ni un corazón en el que verter sus penas? Se dice que la miseria compartida con otra persona es más llevadera.

–Se dice, señora.

–Señor Fogg –dijo entonces Aouda, levantándose y tendiéndole su mano–, ¿quiere usted tener a la vez una pariente y una amiga? ¿Quiere usted casarse conmigo?

Al oír esto, Fogg se levantó a su vez. Había algo así como un insólito reflejo en sus ojos, como un temblor en sus labios. Aouda le miraba. La sinceridad, la rectitud, la firmeza y la dulzura de la mirada de aquella noble mujer que osaba todo por salvar a quien debía todo, le asombraron primero y le cautivaron después. Cerró los ojos durante un instante, como para evitar que su mirada se hundiera más en él. Los reabrió y dijo:

–La amo. Sí, en verdad, la amo, por todo lo más sagrado del mundo, y soy todo suyo.

–¡Ah! –exclamó Aouda, llevándose la mano al corazón.

Se llamó a Passepartout, quien acudió al punto. Phileas Fogg tenía todavía en su mano la de Aouda. Passepartout comprendió, y su ancha faz resplandeció como el sol en el cenit de las regiones tropicales.

Fogg le preguntó si no sería demasiado tarde para ir a ver al reverendo Samuel Wilson, de la parroquia de Mary-le-Bone.

Passepartout exhibió su mejor sonrisa, y dijo:

–Nunca es demasiado tarde.

Eran las ocho y cinco.

–¿Será para mañana, lunes? –preguntó.

–¿Para mañana, lunes? –preguntó a su vez Fogg, dirigiéndose a Aouda.

–Para mañana, lunes –asintió Aouda.

Passepartout salió corriendo.

Capítulo 36
En el que Phileas Fogg vuelve a cotizarse en el mercado por encima de la par

Hora es ya de informar del cambio que en la opinión pública del Reino Unido había producido la noticia de la detención del verdadero ladrón del Banco, un tal James Strand, efectuada el 17 de diciembre en Edimburgo.

En tan sólo tres días, el ladrón que era Phileas Fogg, con toda la policía tras él, se había convertido en el honorable caballero que realizaba matemáticamente su excéntrico viaje alrededor del mundo.

¡Cuánto sensacionalismo en los periódicos! La noticia había hecho resucitar, como por arte de magia, a todos los que habían apostado en pro o en contra de un asunto ya olvidado. Todas las apuestas habían recuperado su validez, y cobrado nueva vida. Se cruzaron nuevas y fuertes apuestas. El nombre de Phileas Fogg volvió a cotizarse en el mercado por encima de la par.

Los cinco contertulios del *gentleman* en el Reform-Club pasaron esos tres días sumidos en una cierta inquietud. Aquel Phileas Fogg al que ya casi habían olvidado hacía su reaparición en la escena... ¿Dónde podría estar en esos momentos? El 17 de diciembre, día en que se había detenido a James Strand, hacía ya setenta y seis días que había partido

Phileas Fogg, sin que se hubiera tenido noticia alguna de él desde entonces. ¿Habría sucumbido? ¿Habría renunciado a la lucha o continuaba su marcha siguiendo el itinerario convenido? ¿Aparecería como el dios de la exactitud en el umbral del salón del Reform-Club, el sábado 21 de diciembre, a las veinte horas y cuarenta y cinco minutos?

Indescriptible es la ansiedad en que durante tres días vivió todo ese mundo de la sociedad inglesa. Se envió un gran número de telegramas a América y a Asia en solicitud de noticias de Phileas Fogg. Se enviaron observadores, mañana y tarde, a la casa de Saville-row. Nada.

La misma policía ignoraba el paradero del inspector Fix, que tan desafortunadamente se había lanzado tras una pista errónea. Nada de esto impidió que las apuestas se cruzaran de nuevo a una gran escala. Phileas Fogg llegaba a la última vuelta como un caballo de carreras. Pero no se le cotizaba ya a cien, sino a veinte, a diez, a cinco, y el viejo paralítico, lord Albermale, lo tomaba a la par.

En la tarde del sábado, una gran muchedumbre se había apostado en Pall-Mall y en las calles colindantes, ante y en las inmediaciones del Reform-Club. Se hubiera dicho una inmensa concentración de corredores de Bolsa, a juzgar por el griterío, las discusiones y las disputas en torno a las cotizaciones «del Phileas Fogg» como si se tratara de un valor bursátil. La circulación era imposible y los policías contenían a duras penas a la muchedumbre, entre la que iba subiendo la emoción a medida que se acercaba la hora a la que debía llegar Phileas Fogg.

Aquella tarde, los cinco adversarios del *gentleman* estaban en el gran salón del Reform-Club, donde se hallaban reunidos desde hacía nueve horas. Los dos banqueros, John Sullivan y Samuel Fallentin, el ingeniero Andrew Stuart, el administrador del Banco de Inglaterra Gauthier Ralph, y el cervecero Thomas Flanagan, esperaban con ansiedad.

En el momento en que el reloj del gran salón marcaba las ocho y veinticinco, Andrew Stuart se levantó y dijo:

–Señores, dentro de veinte minutos habrá expirado el tiempo convenido con el señor Fogg.

–¿A qué hora llegó el último tren de Liverpool? –preguntó Thomas Flanagan.

–A las siete y veintitrés –respondió Gauthier Ralph–, y el próximo tren llega a las doce y diez.

–Pues bien, señores –dijo Andrew Stuart–, si Phileas Fogg hubiera llegado en el tren de las siete y veintitrés, ya estaría aquí. Podemos considerar ganada la apuesta.

–Esperemos, no nos precipitemos –respondió Samuel Fallentin–. Todos sabemos que nuestro compañero es un excéntrico de primer orden. Su exactitud es proverbial. Nunca llega ni demasiado tarde ni demasiado pronto, y a mí no me sorprendería que apareciese aquí en el último minuto.

–Habría de verlo y no lo creería –dijo Andrew Stuart, que estaba tan nervioso como siempre.

–En efecto –dijo Thomas Flanagan–. El proyecto de Phileas Fogg era insensato. Por grande que sea su exactitud, no le es dado poder impedir que se produzcan retrasos. Y bastaba tan sólo uno de dos o tres días para hacerle fracasar.

–Tengan ustedes en cuenta, además –dijo John Sullivan–, que no hemos recibido ninguna noticia de nuestro compañero. Y no faltaban en su itinerario las comunicaciones telegráficas.

–Les digo que ha perdido, señores –manifestó Andrew Stuart–, ha perdido irremisiblemente. Ya saben ustedes que el *China* –el único barco que podía tomar en Nueva York para llegar a tiempo a Liverpool– llegó ayer. Y aquí tiene la lista de pasajeros que ha publicado la *Shipping Gazette,* y en la que no figura el nombre de Phileas Fogg. Así pues, aun admitiendo las más favorables condiciones para él, debe estar todavía, como máximo, en América. Yo estimo en unos veinte días, al menos, el retraso que va a sufrir sobre la fecha convenida. El viejo lord Albermale va a perder también sus cinco mil libras.

–Es evidente –dijo Gauthier Ralph–, y no tenemos más que presentar en la banca de Baring hermanos el cheque del señor Fogg.

En ese momento, el reloj del salón marcaba las ocho cuarenta.

–Cinco minutos aún –dijo Andrew Stuart.

Se miraron todos entre sí. Sus corazones latían con una cierta aceleración, pues incluso para tan avezados jugadores la partida era fuerte. Pero todos se esforzaban por disimular su emoción, y así acogieron de buen grado la proposición de Samuel Fallentin de sentarse ante una mesa de juego para disputar una partida.

–No daría yo mi parte en la apuesta, mis cuatro mil libras –dijo Andrew Stuart–, ni por tres mil novecientas noventa y nueve libras.

Las agujas del reloj marcaban en ese momento las ocho y cuarenta y dos.

Los jugadores habían tomado las cartas, pero sus miradas se dirigían a cada instante al reloj. Por grande que fuera o pareciera su seguridad, nunca les habían parecido tan interminables los minutos.

–Las ocho y cuarenta y tres –dijo Thomas Flanagan, mientras cortaba la baraja que le ofrecía Gauthier Ralph.

Se hizo un momento de silencio. El amplio salón del club estaba tranquilo. Pero en el exterior se oía el alboroto de la muchedumbre dominado de vez en cuando por agudos gritos. El péndulo del reloj batía los segundos con una regularidad matemática. Cada jugador podía contar las divisiones sexagesimales que golpeaban sus oídos.

–Las ocho y cuarenta y cuatro –dijo John Sullivan, en un tono de voz que traicionaba una emoción involuntaria.

Faltaba tan sólo un minuto para ganar la apuesta. Andrew Stuart y sus compañeros habían dejado de jugar. Contaban los segundos.

–Heme aquí, señores

Al cuadragésimo segundo, nada. Al quincuagésimo, lo mismo.

Al quincuagésimo quinto segundo se oyó un gran rumor procedente del exterior en el que se mezclaban los aplausos con los gritos y las imprecaciones.

Los jugadores se levantaron

Al quincuagesimo séptimo segundo se abrió la puerta del salón y antes de que el péndulo batiera el sexagésimo segundo hacía su aparición Phileas Fogg, seguido de una muchedumbre delirante que había forzado la entrada del *club*.

Con su tono más plácido de voz, Fogg dijo:

–Heme aquí, señores.

Capítulo 37
Que demuestra que Phileas Fogg
no ganó otra cosa en esa vuelta al mundo
que la felicidad

¡**S**í! Phileas Fogg en persona.

Se recordará que a las ocho y cinco de la tarde –veinticinco [1] horas después, aproximadamente, de la llegada a Londres de los viajeros– Passepartout había recibido la orden de prevenir al reverendo Samuel Wilson de una cierta boda que debía celebrarse al día siguiente. Encantado de su misión, Passepartout se había dirigido con paso rápido al domicilio del reverendo Samuel Wilson.

El reverendo no se hallaba en casa y Passepartout debió esperar su regreso durante unos veinte minutos al menos.

No salió de la casa del reverendo hasta las ocho treinta y cinco. ¡Pero en qué estado! Los pelos alborotados y sin sombrero, corría, corría como jamás se ha visto correr a un hombre, derribando a los transeúntes en su carrera, precipitándose como una tromba por las aceras.

En tres minutos llegó a la casa de Saville-row y se precipitó, sin aliento, a la habitación del señor Fogg.

1. Nuevo descuido del autor. La llegada de Fogg a Londres se produjo a las nueve menos diez del día anterior. Luego habían transcurrido exactamente veintitrés horas y cuarenta y cinco minutos. (*N. de. T.*)

Los pelos alborotados y sin sombrero, corría, corría…

No podía hablar.

–¿Qué ocurre? –preguntó Fogg.

–Señor... –balbuceó Passepartout– la boda... imposible.

–¿Imposible?

–Imposible mañana.

–¿Por qué?

–Porque mañana... ¡es domingo!

–Lunes –dijo Fogg.

–No... hoy... ¡es sábado!

–¿Sábado? Imposible.

–¡Sí! ¡Sí! ¡Sí! –gritó Passepartout–. Se ha equivocado usted en un día. Hemos llegado con veinticuatro horas de adelanto... ¡pero no quedan ya más que diez minutos!

Passepartout agarró a Phileas Fogg por el cuello y lo arrastró con una fuerza irresistible.

Conducido así, sin tener tiempo para reflexionar, Phileas Fogg salió de su habitación y de su casa, saltó a un *cab*, prometió cien libras al cochero, y tras haber aplastado a dos perros y golpeado a cinco coches en su loca carrera, llegó al Reform-Club.

El reloj marcaba las ocho cuarenta y cinco cuando hizo su aparición en el gran salón.

Phileas Fogg había realizado la vuelta al mundo en ochenta días, y ganado su apuesta de veinte mil libras.

¿Cómo un hombre tan exacto y meticuloso podía haberse equivocado en un día? ¿Cómo pudo creer que su llegada a Londres había tenido lugar el 21 de diciembre cuando era en realidad el 20 de diciembre, a los setenta y nueve días de su partida?

La razón de tal error era simple. Phileas Fogg había ganado, sin darse cuenta, un día sobre su itinerario, porque había dado la vuelta al mundo yendo hacia el *este*, al igual que hubiera perdido un día si hubiera realizado su viaje en sentido inverso, hacia el *oeste*.

En efecto, al marchar hacia el este, Phileas Fogg iba al encuentro del Sol. Consecuentemente, los días disminuían para él tantas veces cuatro minutos cuantos grados recorría en esa dirección. La multiplicación de los trescientos sesenta grados de la circunferencia terrestre por cuatro minutos da precisamente veinticuatro horas, es decir, ese día ganado inconscientemente. Dicho en otras palabras, mientras Phileas Fogg en su marcha hacia el Este había visto *ochenta veces* el paso del Sol por el meridiano, sus compañeros de Londres no lo habían visto pasar más que *setenta y nueve veces*. Por eso es por lo que aquel mismo día, que era sábado y no domingo como creía Phileas Fogg, le esperaban sus adversarios en el salón del Reform-Club.

Así lo habría indicado el reloj de Passepartout –que siempre había conservado la hora de Londres– si con los minutos y las horas hubiera indicado también los días.

Phileas Fogg había ganado, pues, las veinte mil libras. Pero como había gastado por el camino unas diecinueve mil, los resultados pecuniarios eran mediocres. Pero, como ya se ha dicho, el excéntrico *gentleman* había buscado en la apuesta la lucha y no el dinero. Por ello, distribuyó las mil libras restantes entre el buen Passepartout y el desgraciado Fix, a quien era incapaz de guardar rencor. Sin embargo, y por cuestión de principio, no dejó de descontar a Passepartout el precio de las mil novecientas veinte horas de gas consumido por su negligencia.

Aquella misma noche, tan impasible y flemático como siempre, Fogg dijo a Aouda:

–¿Continúa siendo de su conveniencia el matrimonio, señora?

–Señor Fogg, soy yo quien debe hacerle esta pregunta. Estaba usted arruinado. Ahora es rico.

–Perdón, señora. Esa fortuna le pertenece a usted. Si no hubiera tenido usted la idea de este matrimonio, Passepartout no hubiera ido a buscar al reverendo Samuel Wilson, yo no hubiera quedado advertido de mi error y...

–Querido señor Fogg...

–Querida Aouda...

La boda se celebró cuarenta y ocho horas más tarde, y Passepartout, soberbio, resplandeciente, deslumbrante, protagonizó en ella el papel de testigo de Aouda. ¿No correspondía tal honor a quien la había salvado?

Al día siguiente de tal acontecimiento, Passepartout llamaba a primera hora estrepitosamente a la puerta de la habitación. Ésta se abrió y apareció el impasible *gentleman*.

–¿Qué ocurre, Passepartout?

–Ocurre, señor, que acabo de darme cuenta de que...

–¿De qué?

–De que podíamos haber dado la vuelta al mundo en setenta y ocho días solamente.

–Sin duda –dijo Fogg–, pero sin atravesar la India. Y si no hubiera atravesado la India, no hubiera salvado a Aouda y ahora no sería mi mujer, y...

Y Phileas Fogg cerró tranquilamente la puerta.

Así, pues, Phileas Fogg había ganado su apuesta. Había realizado en ochenta días un viaje alrededor del mundo. Había empleado para hacerlo todos los medios de locomoción, paquebotes, trenes, coches, yates, barcos mercantes, y hasta un trineo y un elefante. El excéntrico *gentleman* había desplegado en la empresa sus maravillosas cualidades de serenidad y de exactitud. Pero ¿y qué? ¿Qué había ganado en ese largo viaje? ¿Qué había obtenido de él? Nada, se dirá. Nada, en efecto, sino una mujer encantadora que, por inverosímil que pueda parecer, hizo de él el más feliz de los hombres.

Y, en verdad, ¿quién no daría, por menos de eso, la vuelta al mundo?

Índice